KB178179

만남

만남

발 행 | 2024년 07월 09일
저 자 | 이수아,허정애,정다정,이민희,조유민,양희준
펴낸이 | 한건희
펴낸곳 | 주식회사 부크크
출판사등록 | 2014.07.15.(제2014-16호)
주 소 | 서울특별시 금천구 가산디지털1로 119 SK트윈타워 A동 305호
전 화 | 1670-8316
이메일 | info@bookk.co.kr

ISBN | 979-11-410-9418-8
www.bookk.co.kr

만남

이수아,허정애,정다정,이민희,조유민,양희준 지음

CONTENT

스토커

이수아

투명한 에메랄드빛 물결이 강렬한 존재감을 드러내는 이곳. 육지와 부딪혀 산산이 부서지는 바다가 시끄럽게 울어댔고, 들이친 파도는 하얀 거품을 내뱉는다. 바다만을 기다리던 육지에게 남은 것은 짜게 젖은 모래알뿐. 그 위를 장식하던 아름다운 자갈들이 주춤거리는 발에 거슬리기만 하다.

해변 끝자락에 크고 작은 바위들이 듬성듬성 모여 있다. 산에서 뚝 떼어낸 듯한 모양새로 전부 절반쯤 젖어 있다. 바위 옆으로 이어지는 가파른 절벽에 떨어진 흔적들이 고스란히 보인다. 엉망으로 패인 상처 같은 결들을 따라 거센 바람이 휘몰아친다. 포효하는 짐승의 울부짖음에 귓구멍이 먹먹하다. 정신없이 휘날리는 머리카락이 시야를 가린다.

큰 바위 아래 기대어 앉은 남자. 그와 나는 겨우 두 걸음을 사이에 두고 떨어져 있다. 머리를 숙이고 있는 남자가 입을 열어 중얼거린다. 바람 소리에 막혀 전혀 알아들을 수 없었다. 그가 고장 난 기계처럼 서서히 고개를 들어 올렸다. 눈이 마주쳤다. 다리를 다쳤다더니, 보란 듯이 일어나 붙은 모래를 툭툭 털어낸다.

돌을 쥔 나의 오른손에 힘이 들어갔다. 예민해진 감각에 솜털이 곤두섰다. 벌레 한 마리가 꼬리뼈부터 척추를 따라 빠르게 기어오르는 것 같았다. 세게 쥐어 든 손에서 시작된 떨림이, 점차 온몸에서 느껴졌다.
남자의 갈색 눈동자가 위아래로 나를 훑었다. 그가 비식거리며 웃는다. 머리에 떠오르는 불길한 미래와 최악의 상황들이 허파를 조여댔다. 죽음을 기다리는 가축의 기분이 이럴까. 불안에 절은 짧은 호흡이 버겁다.
"우리, --- 마주쳤죠? 한 번 더 --- 어요. 내 예상대로 --- 이네요. 당신."
여전히 들리지 않았다. 그의 목소리가 바람에 가려졌다.
"---, 약하고. --- 말라 죽어 버릴 것 --- 꽃, "
그 발걸음이 내게로 향했다. 좁혀진 거리만큼 뒤로 물러섰다. 바람소리보다도 더 커진 심장 소리가 머릿속을 울린다.
"그래도 --- . 말했죠. 리시안셔스, --- 쉬운, --- . 사랑으로 --- 금방, "
'리시안셔스...! 분명 그가, '리시안셔스'라고 말했다. 그 남자다. 위로 쏠리는 압력에 눈알이 터져버릴 것 같다. 심장이, 온몸의 피가 요동친다. 줄곧 나를 지켜봐 온 걸까. 여기까지 와서. 지금에 와서. 또 나를 괴롭힌다고. 겁쟁이처럼 뒤에서 수작질이더니. 내가 어지간히도 만만히 보였던 거다. 오늘 도망치면. 내일도. 모래도. 앞으로도 그렇게. 조용한 공포 속에서 헤매게 될 거다. 아니, 분명 전보다도 더한 불안감에 휩싸일 것이다. ... 그래. 이건 기회다. 내 고통을 끝내기 위해 신이 주신 기회.
그가 한 걸음 더 다가왔다. 저 눈. 저런 얼굴이었나. 나는 지지 않고 그 두 눈을 똑바로 바라봤다.
그가 내 쪽으로 한 발 더 내딛으려는 순간. 강한 바람이 불었다. 중심을 잃는다. 지금이다. 대응하지 못하게. 빠르게. 앞으로 한 걸음.

모래를 쥐고 있던 왼손을 들어 올려, 얼굴을 향해 흩뿌렸다.
정확히 두 눈으로 모래가 들어갔다. 그의 얼굴이 고통으로 일그러지고, 얄팍한 몸은 앞쪽으로 크게 비틀렸다. 하. 고작 눈에 모래가 들어간 걸로. 오른손에 쥔 돌을 두 손으로 움켜잡았다. 바로 앞에 끝이 보였다. 있는 힘껏 돌을 휘둘렀다. 잃어버린 나의 시간, 잃어버린 나의 일상, 나의 불안, 나의 고통을 담아.

***

푸른 빛이 맴도는 어두운 밤하늘. 선명히 보이는 크고 작은 별들이 쏟아질 듯 많다. 수줍음 많은 달은 지나가는 구름 뒤에 숨었다. 대신 여기, 달처럼 둥근 주황색 조명이 흐린 빛을 내뿜는다. 조명에 붙은 열대 지방의 날벌레들이 타닥거리며 작은 소음을 일으켰다.
미묘한 주황빛 아래로 한 쌍의 남녀가 보인다. 작은 테라스에는 나무 의자 두 개만 놓여 있었다. 안전을 위한 철장, 방으로 이어진 유리문, 객실이 비치는 실크 커튼. 등받이가 둥근 의자 두 개. 연식을 내뿜는 가구들이 각기 다른 하얀 빛깔로 바래져 있다. 습기를 머금은 공기가 피부에 달라붙었고, 바다의 짠 냄새와 산의 풀 비린내가 섞여 이국땅의 정취를 부각시켰다.
서윤이 빛바랜 의자에 축 늘어져 있다. 맑고 깨끗했을 가느다란 팔다리에 붉게 탄 자국이 선명하다. 의자 뒤로 늘어뜨린 긴 머리칼이 잔바람에 살랑거린다. 반쯤 가려진 흑안과 둥글면서도 날카로운 눈매에는 피곤함이 잔뜩 묻어났다.
그녀를 바라보는 형석의 표정에 걱정이 가득하다.
"누나, 괜찮아? 여기 햇살이 생각보다 강하다. 이렇게 쉽게 타버릴 줄 몰랐어."

“아냐. 괜찮아. 내가 선크림을 신경 써서 발라야 했는데, 잊어버렸다. 레시가드라도 챙겨올 걸 그랬나 봐. 바다에서 이렇게 놀아본 게 얼마 만인지 모르겠어. 너도 오늘 되게 재밌어하더라?”
형석이 낮게 웃었다.
“누나는 유능한 커리어우먼 같은 이미지잖아. 뭐든 다 잘하는 줄 알았는데. 조그맣고 예쁘게 생긴 물고기를 무서워하는 게 귀여워서 그랬지.”
그는 오전에 했던 스노클링 체험을 떠올렸다. 절벽 속에 숨겨진 바다 탐험. 아름다운 광경에 그녀의 조그맣고 단아한 입술이 주책없이 벌어졌다. 더 깊숙이 잠수해야 한다는 소식에는 오뚝한 콧잔등에 잔주름이 가득해졌다. 작은 생명체들이 다가오자 기겁하며 커다래진 그녀의 눈. 시시각각 변하는 다채로운 표정이 반가웠다. 괜히 더 장난치며 그녀를 물속으로 이끌었다.
서윤도 손바닥만 한 물고기를 피해 도망 다닐 줄은 몰랐다. 맑은 바닷속에 선명히 보이는 꿈틀거림이 꽤 징그러웠던 것이다. 그래도 즐거웠던 경험에 피식 웃고 말았다.
“그나저나, 이렇게 한적한 공간에 세워진 숙소는 어떻게 알았어? 저번에 가족들이랑 왔을 때 이용한 곳은 너무 사람이 많았거든, 여기는 조용해서 정말 좋다.”
서윤이 숨을 크게 들이마시고 천천히 내뱉었다. 마리아나 제도의 맑은 공기가 폐 깊숙이 느껴졌다. 서울 생활에 찌든 몸을 깨끗하게 씻어주는 듯했다. 사방에서 들려오는 풀벌레 소리만이 귀를 간지럽혔다. 일정한 패턴으로 들려오는 백색소음에 온몸이 노곤해지고 눈이 감겼다.
“이 지역에 관광 사업으로 자주 오는 지인이 소개해 줬어. 오션뷰로 바다가 보이고, 뒤쪽으로는 숲으로 뒤덮인 멋진 장소가 있다면서. 생각보다도 더 낡고 작은 숙소이기는 하지만...”
형석은 그녀가 낡은 숙소에 실망했을까 싶었다. 지금 그녀의 표정을 보니 괜한 걱정이었던 것 같다. 안정적인 호흡으로 은은한 미소를 짓는 서윤. 편안해 보이는 그 모습에 몸의 긴장이 풀린다. 꼿꼿하던 자세를 편히 바꾸고, 의자에 나른히 몸을 기댔다.

"그래..? 네 지인 덕분에 잘 쉬네. 지난달까지 우리 진짜 바빴잖아... 일은 일대로 해야 했지... 양가 부모님 뵙고, 상견례도 해야 했지... 그리고, 결혼식장 예약까지... 여기 오길.. 잘했어. 그치...?"

졸음과 싸우는 그녀의 목소리가 점점 느려졌다. 형석은 서윤의 말에 조용히 고개만 끄덕였다. 둘은 고단했던 몸을 쉬어주고, 앞으로의 힘을 비축하기 위해 휴양지를 찾았다. 결혼 준비를 위해 남은 일들은 산더미 같지만, 지금은 둘만의 추억을 만들고 싶었다.

형석이 오른편 아래에 두었던 초록색 통을 집어 들었다. '알로에 99%'라고 적힌 뚜껑을 열어 두 손가락 듬뿍 크림을 떴다. 그가 서윤의 오른쪽 팔을 잡아당겨, 작은 손 위로 크림을 묻혀 줬다. 그녀가 자세를 바로 하고, 팔다리에 크림을 얇게 펴 바른다. 햇볕에 덴 붉은 팔에 시원한 감각이 퍼졌다.

다들 그랬다. 이 나이쯤 되면 결혼할 사람을 만나야 한다고. 하지만 서윤은 결혼을 위해 누군가를 만나고 싶지는 않았다. 아니, 애초에 남을 만나 사랑이란 걸 할 수 있을까 싶었다. 그저 의지할 수 있는 사람이 필요했다. 자신을 지켜주고 보호해 줄 수 있는 든든한 사람이. 그러던 중 만난 게 형석이었다.

어둠 너머 밤바다를 응시하는 형석. 넓은 어깨와 든든한 체격에 의자가 좁게 느껴진다. 태닝한 얼굴 위, 조금 큰 코와 길고 얇은 두 입술. 둥글게 처진 눈매 밑의 뚜렷한 애굣살. 미간을 중심으로 살짝 찌푸려진 진한 눈썹이, 젖은 머릿결 뒤에 존재감을 드러냈다.

형석을 처음 봤을 때부터 느리게 배회하는 그의 시선이 신경 쓰였다. 정착하지 못하는 두 눈동자. 그녀를 닮은, 자신을 이해해 줄 수 있는 사람을 찾은 것 같았다. 형석은 호기롭거나 결단력 있는 사람은 아니지만, 자신의 마음을 솔직하게 표현할 줄 아는 사람이었다.

섬세한 배려심과 올곧은 성품. 순수한 애정과 건강한 신체. 그와 함께라면 앞으로도 괜찮을 것 같았다.
서윤은 어느샌가 내밀어진 형석의 왼손을 맞잡고, 이 밤의 평온함과 고요함을 만끽했다.

***

가벼운 옷차림의 두 사람이 조식을 먹기 위해 1층으로 내려왔다. 입구를 바라보는 카운터의 뒤쪽으로 그리 크지 않은 규모의 식당이 있다. 많아 봤자 한 번에 50명 정도나 이용할 수 있을까. 4인용 사각 테이블들이 일정한 간격으로 사람들을 기다렸다. 벽면 쪽으로 배열된 음식들이 다양해 보이지는 않는다.
접시에 오믈렛을 담아둔 형석이 이번에는 베이컨을 집어 들었다. 서윤은 커피와 크루아상만 챙겨 바다가 잘 보이는 야외 테이블로 시선을 돌렸다. 그녀가 접이식 유리문을 지나 바깥으로 향했다. 기다란 차양 아래 그늘진 테라스에는 2인용 테이블 네 개가 겨우 들어서 있었다. 날이 좋아서인지 이미 세 팀이 착석해 있다. 서둘러 남은 자리에 엉덩이를 붙였다. 둥근 테이블 위에 접시를 두니, 뒤따라 나온 형석도 건너편 의자에 자리를 잡았다.
햇살 아래 반짝이는 해변. 온몸에 느껴지는 자유로운 바닷바람. 고소하고 달콤한 크로와상. 쌉쌀시큼한 커피향기. 서윤은 느긋한 하루의 시작이 만족스러웠다. 형석과 함께 아침을 먹으며, 자유 일정으로 비워 둔 하루에 대해 계획을 세워보려고 했다.
"서윤 누나, 그.. 나중의 일이기는 하지만.."
형석이 뭔가 말하려다 말고 망설인다. 서윤은 커피를 한 모금 마시며 고개를 갸웃거렸다.

"우리 정말 즐겁게 잘 지내고 있잖아. 그래서, 집에 계신 어머니가 떠오르더라고. 나는 지금 누나랑 정말 행복하지만, 어머니는 홀로 외로우실 것 같다는 생각이 들어..."
그가 손에 쥔 냅킨을 접어대며 눈치를 살폈다. 서윤은 무슨 이야기가 시작될지 짐작됐다. 형석의 유일한 문제가 이거였다. 그의 배려심이 그녀만을 위하지는 않는다는 거.
형석은 늦둥이로 태어났다. 아버지는 그가 초등학교에 입학하기도 전에 교통사고로 돌아가셨고, 그 이후 어머니와 단둘이서 살아왔다고 했다. 이번 여행을 떠나기 전에도 어머니 홀로 지낼 일주일을 걱정했다.
오죽 그러니 서윤도 무시할 순 없었다. 이 기간에 진행하는 각종 노인 교육 프로그램을 찾아본 것이다. 꽃꽂이, 서예, 약초, 다도, 캘리그라피 등 찾은 강좌들을 어머니께 권해드렸다. 하지만 어머니는 도리어 귀찮다는 내색을 하며 거절하셨다.
"어휴 됐다 얘, 나도 친구들이랑 꽃구경 가야 돼. 글구 또 저어기, 우리 교회 봉사팀에서 쓸 반찬도 만들어야지. 그러믄 이제, 식사 봉사도 가야하고. 나도 바쁜데 자꾸 이것저것 하라구 그래."
"나는 신경 쓰지 말구, 둘이서 알콩달콩 놀다 와! 서윤이 부모님도 걱정 안 하시게 잘 말씀드리고."
형석의 걱정과 달리 어머니는 외로움을 느낄 새가 없었다. 당신만의 일정으로도 충분히 바쁘셨다.
"형석아, 그렇게 걱정하지 않아도 돼. 어머니께서는 친구분들이나 교회 지인분들과 함께 지내느라 외롭지 않으실 거야. 오늘도 수목원에서 찍은 사진을 잔뜩 보내면서 자랑하셨잖아?"
"맞아. 그랬지. 그런데 나는, 음. 더 이후. 우리가 결혼 하고 나서 말이야. 결혼하고 바로는 아니어도, 1년 뒤에는 어머니를 모시고 살고 싶어."
탁. 서윤이 커피잔을 세게 내려놓고 팔짱을 끼었다. 흠칫거리는 형석. 그러나 그도 지지 않고 그녀의 두 눈을 똑바로 바라봤다. 서윤은 저도 모르게 시선을 돌렸다. 어느새 쌓인 냅킨 뭉치가 그녀의 눈에 들어온다.
"형석아, 이미 이야기했잖아. 아이를 유치원에 보낼 수 있는 나이가 되면, 그때 어머니를 모시자고. 혹시, 어머니께서 그렇게 말씀하셨어? 결혼 후에 바로 우리랑 함께 살고 싶다고?"
"아니.. 어머니가 그렇게 말씀하신 건 아닌데, 괜찮다고 말씀하시는 게 우리를 배려하느라고 그러신 것 같아서...."
눈이 질끈 감겼다. 짐작대로 어머니 의견이 아니었다. 형석의 어머니는 동네 친구들과도, 다니는 교회에서도 멀어지고 싶지 않다고 하셨다. 이는 순전히 형석만의 생각인 것이다.
"형석아.. 우리가 결혼하게 되면, 서로 맞춰가야 할 일들이 정말 많을 거야. 거기에 한 사람이 더 생긴다면, 세 사람은 얼마나 더 맞춰가기가 힘들겠어. 서로가 불편해진다고."
"음.. 전에 분명히 어머니랑 같이 살아도 좋다고 하지 않았어? 오늘 보낸 사진도 내가 아니라 누나한테 보내셨고. 둘 사이가 그 정도로 친밀하니까. 괜찮다고 할 줄 알았어.."
서윤은 답답했다. 이 효자를 어떻게 설득하면 좋을지 모르겠다. 저번에 했던 이야기로는 충분하지 않았던 걸까. 형석을 배려한다고 꺼냈던 말들이 이런 식으로 독이 되어 돌아올 줄 몰랐다. 알콩달콩 신혼도 즐기고, 예쁜 아이도 낳아서 행복하게 살자더니.
"하아, 그럼 우리 둘만의 시간은 1년뿐이잖아. 아이가 1년 안에 안 생기면, 어머니 방 옆에서..? 난 싫어. 임신하고 키우는 과정에서 누군가의 간섭이 들어가는 것도 싫고."
"뭐? 어머니가 우리 애 키우는 데 도와주시면 도와줬지. 간섭하지는 않으시지."
형석의 얼굴이 굳는다. 이렇게나 설명했는데도 그에게 들렸던 것은 '어머니가 간섭할 것이다'라는 내용뿐인가 보다. 반듯한 서윤의 이

마부터 목 아래까지, 그녀의 얼굴이 점차 붉어졌다. 전날 팔다리에 입은 화상보다도 더 붉어 보이는 듯하다.
"그!! 도와주시는 게! 나한테는 불편해질 수 있다고! 아이가 더 크고, 나에게 아이를 양육하는 기준이나 방식이 생기면, 그때 어머니와 함께 살 거야. 1년 뒤? 그건 아니잖아!!"
목소리가 울린다. 그렇게 큰 목소리도 아니었으나 워낙 주변이 조용했다. 형석이 눈을 동그랗게 뜨고 그대로 굳었다. 그녀의 격해진 반응에 상당히 당황한 표정이다. 그가 더는 말을 잇지 못하고 고개를 숙였다. 먹지 않은 음식들을 포크로 툭툭 건드린다.
"……"
"하… 형석아. 여기서 갑자기 정할 일은 아닌 것 같아. 그렇게 신경 쓰이면, 오늘 하루 동안 생각을 좀 해봐. 마침 자유 일정이고, 나도.. 조금은 고민해 볼게."
각자 접시만 쳐다보며 조용한 식사가 이어졌다. 더 이상의 대화는 이어지지 않았다.
"아침부터 불편하게 해서 미안. 먼저 올라가 볼게."
가라앉은 표정의 형석이 터덜터덜 자리를 떠났다.
혼자 남은 서윤은 수십 개의 눈동자가 자신을 쳐다보는 듯했다. 열 오른 얼굴이 화끈거렸고, 바늘에 찔린 듯 온몸이 따끔거렸다. 결국 자리를 박차고 일어났다. 휘청이는 발걸음을 재촉하며 도망치듯 그곳을 떠났다. 동그란 나무 테이블에는 절반도 비워지지 않은 접시와 커피잔, 그리고 휴대폰 하나만 덩그러니 남아 있었다.
서윤은 식당에서 나와 해변으로 향했다. 사람들로부터 완전히 멀어졌음에도, 잔뜩 예민해진 감각이 그녀를 괴롭혔다. 이제는 빈대에게 물린 것처럼 온몸이 가려웠다. 그녀가 허리 쪽으로 손을 돌려 등 전체를 파낼 듯이 긁어댔다. 여전히 누군가가 보고 있는 것 같았다. 의지할 곳 없이 홀로 있는 지금, 빨리 어디로든 숨고 싶었다.
해변 가까이 홀로 서 있는 벤치에 다다랐다. 서윤은 쓰러지듯 의자에 몸을 기댔다. 노란색 나무 벤치는 이미 뜨겁게 달궈져 있었다. 그러나 더 이상 움직일 기력이 없었다. 그녀는 등받이를 방패 삼아 숨듯이 웅크렸다. 양손에 얼굴을 파묻고 몸을 조금 더 좁게, 조금 더 깊게 모았다. 사람들의 시선으로부터. 서서히 잠식해 오는 과거의 악몽으로부터. 어떻게든 벗어나고 싶었다.

서윤의 악몽. 그 스토커의 미친 짓은 4년 전 여름, 한 문자로부터 시작됐다.

***

10층짜리 회색빛 건물을 둘러싼 수많은 유리창. 푸른 창에 반사된 햇빛이 사방으로 퍼졌다. 15평 정도 되는 낡은 사무실에는 11명의 직원이 바삐 각자의 일을 하고 있었다. 앉은키를 겨우 넘어서는 파티션, 화면과 책상 위를 오가는 분주한 시선, 무표정한 얼굴들. 그 모습이 꼭 닭장 속의 닭들 같다.

목을 길쭉이 빼고 다음 날 있을 회의 자료를 검토하는 중이었다. 지-잉. 짧은 진동음이 울렸다. 어제 주문한 셔츠 배송 문자일까. 빠르게 휴대폰을 들어 확인하고는 원래 자리에 던지듯 내려 뒀다.

- 안녕하세요. 오늘 입은 꽃무늬 원피스 정말 예쁘네요

'뭐야. 스팸이잖아. 원피스 입은 건 또 어떻게 맞췄데. 으휴, 지긋지긋한 놈들.'

그날은 유독 햇살이 뜨거웠다. 더운 날씨에 퇴근 후 약속까지 있어서 시원한 여름 원피스를 입고 출근했다. 타이트한 상단 아래로 종아리까지 부드럽게 퍼지는 검정 원피스. 촌스럽지 않은 하얀색 꽃무늬가 마음에 들었다. 하지만 문자가 왔을 때는 야근으로 약속을 파투 낼 위기였다. 미팅 내용의 핵심인 유사 프로젝트 시행 시기의

문제를 발견한 것이다. 이미 기분이 안 좋았고, 악성 스팸 문자를 신경 쓸 겨를이 없었다. 뜬금없이 입고 있는 옷을 칭찬한다고? 코웃음만 나왔다. 어디서 번호가 유출됐는지 이전부터 스팸 문자가 자주 왔기에, 별 우연이 다 있다며 그냥 지워버렸다.

***

- 중요한 일이 있었나요? 하얀색 정장 차림도 마음에 들어요.
'미친, 누구야...? 소름 돋네. 어떻게 이런 식으로 문자 보낼 생각을 하지?'
거래처 미팅으로 외근을 다녀왔던 참이었다. 오랜만에 차려입고 나갔더니 땀 범벅이었다. 딱 붙는 슬림핏 정장은 통풍이 잘 안되는 게 흠이다. 사무실 에어컨의 찬 바람을 쐬니 좀 살 것 같았다. 그나저나, 이 스토커 같은 멘트는 뭘까. 정장 이야기가 상당히 꺼림직하다. 그러잖아도 부장님의 놀림을 받은 게 조금 전이었다. 밖에 다녀오는 날에만 차려입고 온다나 뭐라나. 그 순간 사무실의 모두가 내 옷을 살폈다. 회사 사람이 보낸 게 분명했다.
- 누구시죠. 회사 분이시면 이런 장난은 불편하고 부담스럽습니다. 앞으로는 안 하셨으면 좋겠어요.
이렇게 보내두면 앞으로는 귀찮게 안 하겠지. 열두 자리 이상의 특이한 번호였다. 자신을 숨기는 번호까지 쓰다니. 문자를 지워버렸다. 내 휴대폰에 기록이 남는 것도 싫었다. 수준 낮은 수작질에 비웃음만 나왔다. 자신의 마음을 이렇게밖에 표현하지 못하다니. 누구인지 얼추 짐작도 됐다. 천상민과 김진우. 위로 대여섯 살 차이 나는 독신 선배다. 못난이들이 입사 초기부터 꾸준히 눈치를 주더니. 결국 둘 중 하나가 이런 식으로 문자를 보낸 거다. 옆에서 내 반응을 관찰할 걸 생각하니 소름이 끼쳤다. 정말 별로다.

***

어느 평일, 사무실 직원들과 점심을 먹고 들어왔을 때였다. 내 자리 위에 웬 꽃다발이 놓여 있었다. 연보라색 종이에 묶인 꽃 뭉치. 흰색 꽃과 분홍색 장미가 조화로운 빛을 내뿜었다. 아는 꽃이라곤 장미뿐이라, 물결치는 흰색의 꽃잎이 유독 눈에 띄었다.
- 당신이 보인 미소에 오늘도 힘이 나네요.
"당신이 보인 미소에 오늘도 힘이 나네요? 서윤 언니, 누구예요. 도대체! 회사로 꽃다발을 보내다니!"
옆자리에서 일하는 후배 아영이다. 꽃다발 속의 카드를 먼저 발견했나 보다. 코 먹는 소리로 카드의 글귀를 읽는다. 이런 식으로 놀림감이 되다니. 구경하던 직원들도 상민과 진우의 표정을 살피며, 놀리듯 야유를 보냈다. 하지만 나에게는 이런 꽃다발을 줄 사람이 없었다. 받을 만한 특별한 일도 없고.
"... 이거 저한테 온 게 아닌 것 같은데요."
"아닌데? 서윤 씨 거 맞아. 배달원이 '이서윤 씨 자리가 어딘가요?'라면서 서윤 씨 자리 찾았어. 누군지는 몰라도 열렬~하네."
일이 밀려 자리를 지키고 있던 연희 선배가 말끝을 늘리며 말했다. 혹시나 싶어 친구들이나 가족들에게 물어봤다. 나에게 꽃을 보낸 사람은 없었다. 그렇다면 역시나, 저번에 그 문자를 보낸 사람인가? 굉장히 불쾌해졌다. 분명 불편하다고 전했던 것 같은데. 아니면 문자만 싫은 줄 알았나? 그래서 방식을 바꾼 걸까? 소름 끼치도록 싫었다. 이런 식으로 관심받게 만드는 것도 참 민폐다. 퇴근 전에 보란 듯이 메모를 찢어서 버렸다. 똑똑히 확인하라지. 며칠 후, 그

꽃들이 사무실 화병에 꽂힌 걸 봤다. 창가 아래 버려두고는 까맣게 잊어버렸다. 둘 중 누군지는 몰라도 찌질함의 끝을 보이는구나. 그렇게 생각했다.

***

30분이나 늦게 출발하고 말았다. 전날 밤 새벽까지 드라마를 몰아 본 게 문제다. 최대한 서둘러서 준비했다. 하지만 출근길에 막히는 버스를 내 힘으로 어찌할 수는 없었다. 끼어드는 차들을 향해 욕하는 기사님을 열심히 응원할 뿐이었다. 지각까지 5분. 겨우 회사 근처 정류장에 내렸다. 이제는 두 다리에 모든 힘을 쏟아부을 차례. 정신없이 달렸다. 회사 건물이 코앞일 때, 바로 옆 카페에서 웬 남자가 튀어나왔다. 그의 손에 들린 커피 한 잔.
“어, 어..!”
급히 제동을 걸어 봤지만, 이미 늦었다. 그가 들고 있던 아이스 아메리카노가 쏟아졌다. 그의 팔에 검은색 물 자국이 흥건하다.
“죄송해요! 정말 죄송해요. 팔에 다 흘리셔서 어떻게 하죠?”
“아닙니다. 괜찮아요. 옷에 묻은 것도 아니고, 닦으면 되니까요. 바빠 보이시던데, 출근하셔야죠.”
남자의 손가락이 사무실이 있는 4층을 가리켰다. 앞으로 3분. 가방을 뒤적여 뭐든 닦을 것을 찾았다. 어디선가 받아둔 물티슈를 대충 건네줬다. 내가 평생 이렇게 뛸 날이 또 있을까. 정말 간발의 차이로 지각은 면했다. 한참 숨을 고르는데 문자가 왔다.
- 물티슈 고마워요. 운명적인 만남에 아직도 심장이 뛰네요. 오늘도 좋은 하루 보내요.
...... 회사 사람이 아니었다. 그 남자. 어떻게 생겼는지 전혀 기억나

질 않는다.

***

– 나의 리시안셔스. 언제나 반듯한 자세를 하고 있는 당신이 좋아.
그 남자와 마주친 이후. 정체 모를 문자가 무서워졌다. 회사가 아니라면, 도대체 어디서 나를 지켜보고 있는 걸까. 어떻게 나를 지켜볼 수 있는 거지? 그리고 문제의 '리시안셔스'. 그가 날 '리시안셔스'라고 부르기 시작했다. 인터넷에 검색해 보니, 장미 같은 생김새에 카네이션처럼 꽃잎이 물결쳤다. 저번에 받았던 꽃다발 속의 그 흰색 꽃이다. 꽤 오래전부터 나를 지켜보고 있던 걸까? '변치 않는 사랑'이라니. 불안해지기 시작했다. 하지만 내가 남겨둔 문자만으로는 신고조차 할 수 없었다. 언제부터, 어떤 문자를, 얼마만큼이나 모아둬야 했던 걸까. 포인트 적립이든 설문조사든, 생각 없이 흩뿌린 개인 정보 때문인 것 같다.
번호를 바꿨다. 2주 동안 적어도 문자는 안 왔다. 마치 태풍의 눈 속처럼 평온한 매일이었다. 그 고요함이 불안했다. 휴대폰의 진동음에 경련하듯 놀라기를 여러 번. 출근길에도, 퇴근길에도, 식당에서 밥을 먹다가도. 누군가와 눈이 마주치면, 의심이 가실 때까지 노려봤다.

***

업무보고서를 작성하던 중이었다. 거래처와의 계약 건으로 연락을 기다렸다. 옆에서 진동음이 울렸고, 아무 생각 없이 휴대폰을 들어 확인했다.
- 번호를 바꿨네. 그것도 모르고 계속 보냈잖아. 너무 짓궂다. 항상 보고 있어. 내 사랑.
“으악!!!”
심장이 벌렁거린다. 내 입에서 처음 듣는 굵직한 비명이 나왔다. 던져진 휴대폰에 자판이 눌렸다. 모니터 화면이 금방 ‘ㅂ’으로 도배됐다. 온몸의 털들이 빳빳하게 섰다. 뒤로 밀려난 의자가 한참을 더 움직였다. 그렇게 망연하게 서있자니, 스무 개의 눈동자가 나를 쳐다본다. 숨이 막힐듯한 압박감에 절로 목이 움츠러들었다. 옆에 앉은 아영의 걱정스러운 물음에도 입이 떨어지지 않았다. 솔직히 말할 수가 없었다. 어느 누가 스토커와 이어져 있을지 몰랐다. 바퀴벌레가 나타나서 그랬다고 대충 둘러댔다. 다시 자리에 앉아도 집중할 수 없었다. 모두가 자신의 업무로 돌아간 것을 확인하고 나서야, 참았던 숨이 길게 뱉어져 나왔다.

***

- 꽃에 물을 안 줬나. 자꾸 야위는 것 같아. 밥은 잘 먹고 다니는 거지?
- 누가 괴롭혀? 불안해 보여. 내가 혼내줄까?
- 혹시 나를 찾는 건 아니지? 그럴까 봐 내가 찾아갔어. 오늘 만날 수 있어서 기뻐. 또 만나자.
- 얼굴이 많이 안 좋아 보여. 일이 바쁜 거야? 힘내. 늘 응원하고 있어. 함께 힘내자.
- 회사에 잘 안 나오네.. 아파? 보고 싶다. 기운을 차릴 수 있게 선물을 준비할게.

이 미친놈이 문자를 보낸 지도 두 달이 지났다. 신경이 점점 더 예민해졌다. 사람이 있는 곳이 불편해졌다. 그를 발견한다면 당장 그만두라고 소리치고 싶었다. 쉴 새 없이 눈동자를 굴려 그를 찾음에도, 누군가와 눈이 마주치면 고개 숙여 숨기 바빴다. 이제는 성인 남성의 시선이 무서웠다.
두 눈이 정신없이 배회했다. 움츠러든 고개를 까딱거리며 시선을 좇았다. 문득, 유리창에 비친 내 모습이 보였다. 길거리의 비둘기와 나의 움직임이 똑같다. 추했다. 이런 내 모습이 싫었다. 그러나 멈출 수 없었다. 그를 찾아내고 싶었고, 그에게서 숨고 싶었다.
휴대폰의 진동이 울릴 때마다 발작 같은 떨림이 일어났다. 짓눌리는 압박감, 커지는 심장 소리, 조여오는 호흡. 온몸이 잔뜩 굳었다. 직접적인 피해를 주지도 못하는 하찮은 인간이다. 뒤에만 숨어 있는 겁쟁이 같은 인간이다. 괜히 내가 민감하게 반응하는 거다. 그렇게 스스로를 다독였다. 하지만 내 속에는 이미 공포와 불안감이 심어졌고, 금방 싹을 터 단단히 뿌리내렸다.

***

결국 연차를 내고 밖을 나가지 않았다. 얼마 지나지 않아서 사직서를 냈다. 잠을 자고 일어나면 거실 소파에 폐인처럼 앉아 있었다. 아침부터 해가 질 때까지 철 지난 예능 프로그램만 계속 돌려봤다. 티비 소리를 최대한으로 올렸다. 몸을 지배하는 이 불안감을 어떻게든 덮어버리고 싶었다. 밖을 못 나간 지 며칠째였을까. 그날도 예능을 틀어놓고, 멍하니 소파에 앉아 있었다.
지-잉.
멀찍이 던져둔 휴대폰이 짧게 울렸다. 허벅지로 진동음이 느껴졌다.

휴대폰을 집어 드는 손이 주체할 수 없이 떨렸다. 다행히도 택배 기사의 문자였다. 티비를 끄고, 생수를 들이기 위해 발걸음을 옮겼다. 이제는 주변을 살피는 게 습관이 되어, 조심스럽게 현관문을 열었다.
1.5L 6개짜리 생수 팩 위에 무언가 올려져 있다. 리시안셔스 한 종류로 가득 메운 꽃다발.
숨이 쉬어지지 않았다. 온몸이 퍼들거리며 떨렸다. 주먹을 쥐어 검지와 엄지손가락만 빼 들었다, 끝부분만 살짝 잡아 바닥에 내던졌다. 손이 오염된 것 같았다. 거들떠보기도 싫었다. 밟히는 대로 마구 짓이겨 차버렸다. 성난 콧바람을 내뱉으며 노려보고 있자니 떠올랐다.
꽃다발은 생수 위에 올려져 있었고,
나는 생수 배송 문자를 확인하고 바로 나왔다.
더 이상 생각할 것도 없었다. 황급히 뒷걸음쳐 현관문을 닫았다. 부들거리는 손으로 겨우 안전장치를 걸어 잠갔다. 현관문 중앙에 뚫린 렌즈가 반짝인다. 신발장 위에 놓아둔 노란색 테이프를 되는대로 잡아 뜯었다. 렌즈 구멍을 세 겹, 네 겹으로 덮었다. 이러면 보이지는 않겠지. 다리에 힘이 풀려 그대로 주저앉아 버렸다. 현관을 벗어날 수가 없었다. 잠깐의 정적. 머릿속의 초침이 느리게 흘러갔다.
뚜벅. 뚜벅.
천천히, 조심스럽게 걷는 소리가 들렸다.
스-윽. 바스락.
누군가 발로 차낸 꽃다발을 줍는 것 같다. 종이의 바스락거림이 시끄럽다.
뚜벅. 뚜벅.
걸어오는 소리가 커진다. 설마. 설마 이 앞으로 오는 걸까.
덜컥. 덜커덕.

현관문이 짧고 강하게 두 번 들썩였다. 헐떡이는 호흡이 커져만 갔다. 입을 틀어막아 소리를 숨겼다. 그렇게 꼼짝없이 앉아 있었다. 부족한 산소에 눈두덩이 아려온다. 그가 떠나기만을 기다렸다. 얼마나 조용히 기다렸을까. 어디선가 들어 본 듯한 낮은 목소리가 작게 웅얼거렸다.

"물, 다시 가지러 나오지 않으려나."

결국 그날 경찰을 불렀다. 집 앞에 이상한 사람이 서성인다며 신고했다. 그러나 그들이 왔을 때는 사람도 꽃다발도 없었다. 내가 시킨 생수만 그 자리를 지키고 있었다. 낡은 아파트의 CCTV를 확인해도 헬멧을 쓴 배달원뿐이었다. 그리고 이틀 뒤 그놈으로부터 마지막 문자가 왔다.

- 나의 리시안셔스. 꽃은 말을 걸어주고, 물도 주고, 햇빛도 쐬어주고, 영양도 주면서 바라봐야 해. 그래야 예쁘게 자라. 꽃을 그러쥐면 망가지니까. 당신이 정말 좋지만, 앞으로는 보기만 할게. 안녕.

***

가슴이 답답했다. 서윤은 눈을 감고 고개를 젖혀 벤치에 눕듯이 몸을 기댔다.

"스읍… 후…우 스읍-후우…."

상담 때 배웠던 호흡을 기억하며 리듬에 맞춰 숨을 내뱉었다. 햇볕에 얼굴이 따가웠다. 도망쳐 온 이곳에서도 여전히 괴롭다. 이제는 빛을 피해 그늘로 달아나고 싶었다. 그러나 멈추지 않았다. 어떻게든 이 우울한 기분을 덜어내고 싶었다. 호흡에 집중하려 입술을 오가는 숨소리에 귀를 기울였다.

감은 눈꺼풀 너머로 강하게 내리쬐던 햇빛이, 어느 순간부터 느껴지지 않았다. 먹구름이라도 낀 걸까? 그런 것 치고는 여전히 전신의 피부가 따갑다. 어두워진 눈꺼풀 위쪽으로만 서늘해진 기묘한 감각. 다시 호흡에 집중해 보려는데 이마까지 간질거리기 시작했다. 더 이상 견딜 수 없어 천천히 눈을 떴다.

"힉! 뭐야!"

반 뼘 너머 가까이 보이는 두 개의 갈색 눈동자. 서윤의 입에서 이상하게 눌린 소리가 뱉어져 나왔다. 젖혔던 고개를 빠르게 숙였다. 당황스러우면서도 창피한 마음에 고개를 들 수가 없었다.

"아! 죄송해요. 그렇게 놀라게 할 생각은 없었는데... 이마에 나비가 꼼짝 않고 앉아 있었거든요."

굵으면서도 높은 목소리가 등 뒤에서 사과의 말을 전한다. 고개를 돌려 확인하니 웬 남자가 서 있다. 푸른색의 카라 반팔 티에 베이지색 면 반바지를 입은 동양인. 짧게 쳐낸 검은색 머리카락과 찢어진 눈매, 황색 얼굴의 콧등 위로 주근깨가 자잘히 박힌 평범한 외모였다. 30대 초반 정도 되었을까. 얄팍한 그의 왼팔에 들린 꽃무늬 하와이안 남방이 잔바람에 휘날렸다.

"누구, 흠! 누구세요?"

목소리가 갈라져 나왔다. 서윤은 손등을 들어 올려 이마를 벅벅 닦아냈다. 아무리 문질러도 불쾌한 촉감이 사라지질 않았다. 다시 한 번 숨을 몰아쉬며, 놀란 마음을 다잡기 위해 노력했다. 바로 뒤에서 말도 안 걸고 지켜보고 있었나? 도대체 언제부터? 낯선 남자의 등장이 겨우 진정시킨 감각들을 예민하게 만든다.

"그렇군요. 저를 소개해야 했죠. 박호준이라고 합니다. 이곳 숙소의 한국 관광객 담당 직원이에요. 한국에서 오신 분들에게 더 나은 서비스와 관광 프로그램을 제공하기 위해 파견 나왔답니다."

호준이 과장스레 허리를 숙여 인사했다. 미간이 절로 찌푸려진다. 서윤이 눈을 날카롭고 가늘게 만들어 그를 노려봤다. 눈치도 없는지 능청스러운 표정의 그가 이어 설명한다.

"특히! 형석 님 일행은 저도 잘 아는 사장님께서 신경 써 달라고 당부하셔서. 실례를 무릅쓰고 뒤에서 말을 걸게 되었네요. 무엇보다도 꽃에 나비가 앉아 있으니 그냥 지나칠 수 없었지만요! 하하!"
"꽃...이요?"
꽃이라는 단어에 저도 모르게 날 선 목소리가 튀어나왔다.
"네! 제가 꽃을 키우는데, 그 꽃을 닮으셨어요. 키우기 쉬운 편이라는데도, 말라가서.. 더 노력해야 하지만, 아, 말라가는 꽃을 닮았다는 게 아니라, 그. 건강한 꽃을,"
"아, 네. 네. 그래서. 하려는 말이 도대체 뭐죠?"
서윤이 신경질적으로 그의 말을 끊었다. 무례하고, 요란스럽고, 시끄러운 남자다. 본론만 말하고 빨리 이곳을 떠났으면 좋겠다. 그녀에게는 혼자만의 시간이 필요했다.
"오늘 자유 일정 맞으시죠? 따로 정해둔 게 없다고 들었습니다. 그래서 오후에는 숙소 서비스로 이 주변의 관광 스팟을 소개해 드리려구요. 어제 형석 님께 말씀을 드렸는데... 못 들으셨나요?"
시무룩하여 말을 끌던 그가 금세 기운을 차려 서윤에게 말한다.
"괜찮으시다면, 오후가 되기 전에 비밀 명소라도 소개해 드릴까요? 엿들으려던 건 아니었지만 조금 다투신 것 같아서요. 바로 이 근처에 모든 걱정을 날려버릴 멋진 장소가 있어요."
"아녜요. 금방 들어가 볼 생각이었어요. 제 일행이 곧 저를 찾을 거예요."
서윤이 귀찮다는 듯 손을 설레설레 저었다. 아무리 좋은 곳이래도, 저 남자와 함께하는 것은 싫었다.
"그래요? 괜찮으시면 상관없기는 한데. 형석 씨에게도 방금 제가 뒤쪽 산책로를 소개해 주고 온 참이에요. 혼자 좀 걷고 싶다면서...."
"네? 형석이를 만났어요? 혼자 갔다고요?"
되물어보는 그녀의 목소리가 점점 커졌다. 이미 찌푸려진 미간이

사정없이 구겨졌다. 형석에게 실망스럽고 화가 났다. 생각해 보라 했더니 정말 혼자 가버렸단다. 함께 온 여행이었다. 즐거웠던 분위기를 망친 건 그였다. 방에서 서윤을 기다리고 있을 거라고, 금방 사과해 줄 거라고 생각했다. 그러나 그는 이 낯선 곳에 서윤을 홀로 남겨뒀다.

여전히 햇볕이 뜨겁다. 겨우 식힌 몸에 다시 열이 오른다. 답답했다. 우울한 기분을 숨길 수가 없었다. 슬쩍 본 호준이 서글한 얼굴로 그녀의 대답만 기다린다.

"그래요. 가 보죠. 저도 해변을 '혼자' 좀 걸어야겠어요."

호준을 따라가기 위해 벤치에서 일어났다. 그녀는 이 부정적인 감정의 굴레에서 어떻게든 벗어나고 싶었다. 이런 기분으로 숙소에 처량하게 앉아 형석만을 기다리기는 싫었다.

그를 따라 바다로 향했다. 하얀 모래사장이 밟히기 시작했다. 강렬한 햇볕에 마른 모래가 발아래서 바삭거렸다. 샌들을 신은 그녀의 발가락 사이로 가슬가슬한 모래가 들어왔다. 바닷가 더 가까이 이동해 걸으니, 젖은 모래의 서늘한 감촉이 느껴졌다. 바다의 리듬에 맞춘 파도가 두 발목을 적시고, 뜨거워진 몸에 서늘한 바람이 불었다. 들끓던 감정이 서서히 차분해졌다.

호준이 몇 걸음 더 앞서 걸어간다. 서윤이 혼자 생각할 수 있도록 배려한 것 같다.

왼편을 보니 푸른 세상이 끝없이 이어졌다. 희미한 경계선 위로 청명한 하늘이 있고, 그 아래 에메랄드빛 바다가 자신의 투명함을 자랑했다. 해수면 너머로 보이는 조그마한 물고기들이 바삐 움직였다. 어제 한 번 봤다고 더 귀엽게 느껴졌다. 모래밭의 작은 조개와 소라들도 예쁘게 반짝였다. 그것들을 눈으로 좇아 걷자니 돌 하나가 눈에 띄었다.

야구공보다도 조금 더 커다래 보이는 돌. 주변의 자갈들과는 상당히 달라 보였다. 섬 출신답게 울퉁불퉁 패인 흔적이 많았고, 검은 얼룩도 여기저기 묻어 있었다. 꺾인 모양새가 비틀린 하트 모양 같다. 그녀가 허리를 숙여 돌을 집어 들었다. 앞뒤로, 양옆으로 돌려가며 살폈다. 이 돌도 처음부터 이러지는 않았겠지. 분명 이리 구르고 저리 구르면서 조금씩 상처받아 왔을 것이다. 서윤은 이것이 자신을 닮은 것 같았다. 색을 잃어 어둡고 여기저기 긁혀있었다.
"여기예요! 거의 다 왔어요."
앞서가던 호준이 손가락으로 외진 코너를 가리켰다. 돌을 집어 든 그대로 호준을 향해 걸어갔다. 섬의 끝자락. 그냥 절벽이었다. 고작 여기까지 걷자고 자신을 끌어낸 건가? 큰 기대는 안 했지만 실망스러웠다.
그러나, 벽 아래 비스듬히 마련된 길이 있었다. 자연이 만들어낸 좁은 돌계단. 파도가 닿는 면만 둥글게 깎여 있다. 이 뒤쪽으로 새로운 공간이 또 있는 걸까? 미지의 장소에 대한 호기심으로 들뜨기 시작했다. 호준이 먼저 그곳으로 들어갔다. 그녀도 완만한 길을 따라 조심스레 내려갔다. 절벽에 그늘진 공간이 상당히 어둡다. 동굴 같은 길이 끝나자, 모래에 반사된 햇빛이 그들을 반겼다. 호준이 양팔을 펼쳐내며 서윤을 향해 몸을 돌렸다.
"자! 여깁니다. 모두가 만족스러워했던 그 비밀 명소! 서윤 씨는 어떤가요?"
빛살에 찌푸려진 눈을 조심스럽게 떴다. 밝게 흐려진 시야가 서서히 돌아오고, 서윤의 발이 멈췄다. 의식하지 못한 입이 저절로 벌어졌다. 그녀는 생각했다. 이곳은 마치 신을 위해 만들어진 공간 같다고. 신의 피크닉. 신의 휴양지. 어쩌면 비밀스러운 밀회 장소일 수도 있겠다.
해봤자 절벽 아래 펼쳐진 바다일 거라고 생각했다. 이렇게 아담하고 예쁜 반달 모양의 해변이 나타날 줄 몰랐다. 새하얀 모래사장 위로, 다른 색의 자갈들이 빛을 받아 반짝였다. 썰물 때인 듯 주변의 바위들이 반쯤 젖어 있었고, 그 사이 고인 물이 투명하게 바닥을 비춰냈다. 간간이 작게 형성된 산호초를 보니, 밀물 때면 수심이 깊어지는 듯했다.
들어선 입구를 기준으로 둥글게 펼쳐진 절벽도 조금 달라 보였다. 깎아내린 듯한 절벽이라고들 하지만, 여기 있는 절벽은 누군가 손으로 뜯어낸 것처럼 보였다. 뜯긴 바위들이 그들만의 전시회를 열며, 절벽 아래 규칙 없이 나열되어 있었다. 뾰족하고 크거나, 작고 납작하거나, 둥글게 퍼져있거나. 그렇게 세워진 것들이 파도를 막아선 병풍 같기도 했다.
"이곳은 딱 이 시간에만 들어올 수 있어요. 더 늦거나 빠르면 물이 차서 들어올 수 없거든요."
호준이 앞으로 나아가며 말했다. 절벽을 등지고 노을을 구경하면 좋겠다고 생각했는데, 그럴 수 없다는 게 아쉬웠다. 그늘 아래로 서늘한 바람이 불었다. 서윤은 멈춘 그대로 이곳을 감상했다. 가만히 서서 온몸으로 찬 기운을 느꼈다. 호준을 제외하고는 사람도 없었다. 몸의 열기는 이미 식었고, 언제 그랬냐는 듯 차분해져 있었다. 좀 전까지 불안했던 감정이 어디로 사라졌나 싶다.
낮게 들이치는 파도가 하얀 거품을 냈다. 서윤은 바다의 장난을 받아들이며, 물길을 따라 걸었다. 넓은 공간은 아니라 금방 바위 앞까지 도달했다. 고개를 돌리자, 호준과 눈이 마주친다. 이곳에 오고부터 쭉 그녀를 보고 있었던 걸까. 그는 절벽 아래 언덕 같은 바위 앞에 서 있었다.
"저는 여기 위쪽으로 올라가서 사진을 찍어보려구요. 오늘 유독 바다가 예쁜 색이네요."
"...... 알겠어요. 전 반대쪽을 좀 볼게요."
완만한 바위가 크게 위험해 보이지는 않았다. 전문가이니 알아서 잘할 것이다. 서윤은 바닷가 쪽으로 몸을 돌렸다. 옆에서 느껴지는 시선이 거북했다. 그를 가려줄 만한 큰 바위의 뒷면으로 발걸음을 옮겼다. 바닷가와 큰 바위 사이에는 작은 바위들이 모여있었다. 그녀가 쌍둥이처럼 꼭 붙은 바위로 가까이 다가갔다. 작다고 생각했는데, 사람 키만 한 높이였다.
쌍둥이 바위 아랫면에 이질적인 색이 눈에 띈다. 바위 사이 공간에 파란색 바케스가 딱 맞게 끼어있었다. 슬쩍 보니 초록색 어망이 가득 들어있다. 기다란 나무 막대기도 하나 보인다. 바위 틈새에 길게 튀어나온 것이, 둥근 모양으로 잡기 좋게 다듬어져 있었다. 해양 쓰레기가 끼었든지 불법 어획을 목적으로 숨겨 둔 것 같았다. 이곳이 아주 비밀스러운 장소도 아니었나 싶다. 그녀가 흥미를 잃고 몸을 돌리려던 순간이었다.
“아악!” 호준이 짧은 비명을 내질렀다.
들려오는 다급한 신호에 서둘러 그에게로 갔다. 왼쪽 다리를 붙들고 바위에 기댄 채 낮은 신음을 흘리는 호준. 표정이 보통 심각한 게 아니다. 주름진 콧등과 잔뜩 구겨진 얼굴에 통증이 묻어났다.
“뭐야! 무슨 일이에요! 넘어졌어요? 아님 떨어진 거예요? 저 높이에서?”
허겁지겁 뛰듯이 다가가며 물었다. 그가 기대고 있는 바위의 높이가 사람 키보다도 훨씬 컸다. 젖은 바위가 상당히 미끄러웠던 걸까. 그녀는 예상치 못한 사고에 당혹스럽기만 했다.
“으으... 저기, 위쪽에서... 떨어지는 휴대폰을, 잡으려다... 윽!”
호준이 낮게 신음했다. 점점 고통이 심해지는 지, 두 손으로 무릎을 부여잡고 상체를 모아 움츠렸다. 서윤은 한 걸음 떨어져서 그를 살폈다. 걱정이 되기는 했다. 그러나 사람을 불편하게 만드는 그의 태도와 낯선 이에 대한 경계심이 그녀를 망설이게 했다.
“어, 어떻게 하죠? 그래. 병원에 전화해 볼게요.”
서윤은 오른손을 들어 전화하려고 했다. 그러나 전화할 수 없었다. 줄곧 붙들고 있던 것이 휴대폰이 아니라 조금 전 주웠던 돌이었다. 그녀의 행동이 그대로 멈췄다. 오른손의 돌과 호준을 번갈아 바라볼 뿐이었다. 연락할 수단이 없다. 설상가상으로 먹구름이 몰려오고 바람이 점차 세게 불었다. 비가 오기 전에 최대한 빨리 이곳을 벗어나야 한다. 물이 들어차 나가는 길이 막혀 버리면 둘 다 위험해진다.

"지금 휴대폰이 없어요. 어디가 어떻게 아파요? 제가 부축해 드릴 테니 빨리 병원으로 가요!"

가까이 다가간 서윤이 무릎 굽혀 앉아 그를 살폈다. 눈을 질끈 감고 꼼짝도 하지 못한다. 줄곧 붙들고 있던 돌을 그제야 내려놓고, 양손을 펼쳐 그를 향해 뻗었다.

그러나. 묘한 위화감이 그녀를 멈춰 세웠다. 긁힌 상처 하나 없는 몸. 모래 하나 없이 깨끗한 옷차림. 가리려는 것처럼 무릎에 얹어진 두 손. 상처를 저리 누르면 아프지 않나..? 다친 게 아닌가? 그녀의 몸이 그대로 굳었다.

'아픈 게 아니야. 왜 다친 척을 하는 거지? 날 여기까지 데리고 온 이유가 뭐야? 목적이 뭐지? 홧김에 따라오는 게 아니었어. 이곳을 드나드는 길은 하나뿐인가. 이 사람을 뿌리치고 먼저 달려갈 수 있을까? 얼마나 달려야 사람들이 나오지? 오는 길에 사람 한 명 보지 못했어. 형석이. 형석이는 아직 산인가. 제발, 날 찾고 있어 줘. ...... 설마, 설마 그 미친놈은 아닐 거야. 지난 4년간 아무 낌새도 없었잖아. 계속 나만 봤겠냐고. 자기 삶이 있겠지. 아니야. 아니어야 해... 그 미친놈도 문제지만, 이 미친놈도 문제야. 왜 나야! 왜 나였냐고! 외진 곳까지 유인해서 아픈척하는 게 정상은 아니잖아. 선택해. 선택하자 이서윤. 당하기 전에, 뭐든 해야 해. 도망칠 수 없다면, 벗어날 수 없다면... 없애버리자. ...내가, 먼저 공격해야 해.'

짧은 순간 몰아친 생각의 소용돌이. 그 혼란함 속에서, 서윤은 정답을 찾아냈다. 그가 알아채지 못하게 조심히 움직였다. 오른손에 돌을 다시 잡아 들고, 왼손으로 자갈 사이 모래를 움켜쥐었다. 서서히 몸을 일으켜, 조금씩 물러섰다. 두려움이 몰려오고, 오른손의 떨림이 느껴졌다. 돌을 놓치지 않도록 손가락을 구부려 힘을 줬다.

뒤로 물러선 거리가 세 걸음이나 되었을까. 시간이 멈춘 듯 남자의 행동이 멈췄다. 몸을 비틀며 고통스러워하지도 않았고, 끓는 듯한 신음을 흘리지도 않았다. 그가 달라진 기척을 알아차렸다. 순식간에 바뀌는 그의 표정. 그 찰나, 둘 사이에 싸한 정적이 감돌았다.
"하. 씨발, 안 통하네..."

***

조금 전보다도 날이 흐려졌다. 펄럭이는 옷자락이 불편하다. 파도는 또 왜 이렇게 시끄러운지. 기다리던 그녀가 코 앞이다. 생동감 있는 표정이 아름답다. 창백하고 핏기 없는 게 정말로 그 꽃을 닮았다. 이곳으로 데려오길 잘했다는 생각이 든다. 그녀가 뒷걸음질 치기 시작했다. 다시 마주쳤을 때부터 전하고 싶은 말이 있었는데. 조금 시끄럽기는 하지만, 떠나기 전에 말해야 한다.
"우리, 공항에서 마주쳤죠? 한 번 더 만나보고 싶었어요. 내 예상대로 착한 사람이네요. 당신."
그녀가 눈썹을 찌푸린다. 잘 들리지 않는 것 같다. 조금 더 가까이서 말해야겠다.
"여리고, 약하고. 금방이라도 말라 죽어 버릴 것만 같아요. 내 꽃처럼."
그녀도 한 걸음 물러선다. 이러면 안 들릴 텐데. 더 크게 말하기 위해 아랫배에 힘을 줬다.
"그래도 분명히 말했죠. 리시안셔스는 키우기 쉬운 꽃이랍니다. 사랑으로 키워주면, 금방 다시 건강해질 거예요."
내 마음이 제대로 전해진 걸까? 물러서던 그녀의 두 발이 멈췄다. 두 눈이 동그랗게 커지고, 얼굴이 갈수록 붉어졌다. 긴장으로 굳은 표정조차 귀엽다. 좀 더 다가가서 그녀의 마음을 확인해야겠다.

***

정말. 힘껏 내려쳤다. 너무 세게 내리찍었는지, 머리를 강타한 돌이 절벽 쪽 가까이 튀어 날아갔다. 머리에서 붉은 피가 터져 나왔다. 몸은 고꾸라져 웅크렸다. 그것이 울부짖는 소리가 바람 소리보다도 더 시끄럽다. 그 소리가 마치, 한 번에 끝내지 못한 나를 꾸짖는 것 같다.

주변에 쓸만한 무기가 보이지 않는다. 터질 것 같던 심장이 그 역할을 다한 듯 조용하다. 이제 내 몸을 지배하는 원동력은 끝에 대한 갈망뿐이다. 불안의 끝. 의심의 끝. 고독의 끝. 고통의 끝.

모든 것의 결말을 보기에 적합한 도구가 떠올랐다. 쌍둥이 바위. 분명 그쪽에 나무 막대가 있었다. 발이 가는 데로 움직였던 터라 정확한 위치가 기억 나지 않는다. 헤매는 초점이 자꾸만 흐려진다.

마치 남의 몸을 조종하는 듯, 움직임 하나하나가 버겁다. 잘 안 보인다 싶었더니. 바케스 아래쪽이 물에 잠겨 있었다. 밀물이 발목까지 차올랐다. 막대가 보였다. 쌍둥이 바위 사이에 제대로 박혀 있었다. 둥글고 기다란 게 잡고 휘두르기 딱이다.

그것이 다시 일어나기 전에 빼야 하는데. 쉽게 나오질 않는다. 생각보다도 더 빽빽하게 박혀 있다. 마치 줄다리기를 하듯 막대를 다잡았다. 나무의 잔가시가 박혀 손바닥 전체가 따갑다. 그러나 아픔을 느낄 겨를이 없다. 조금 더 세게. 조금 더 강하게. 힘껏 당겨댔다.

어느새 일어났는지, 바위 저편 시뻘건 눈이 나를 찾는다. 시선이 교차했다. 잔뜩 찡그린 얼굴로 비틀거린다. 이제야 겨우 미세한 돌가루가 떨어지기 시작했다.

'조금만 더! 오고 있잖아..! 나와, 나오라고!'
그것이 빠르게 내 쪽으로 다가왔다. 붉게 적셔진 흰자위. 그 중심의 고동색 눈동자. 점점 가까워져 온다. 손이 미친 듯이 떨렸다. 호흡이 가빠 왔다.
"나왔다!"
성취감도 잠시, 바로 다섯 걸음 너머에 그것이 보였다. 머리를 검붉게 물들인 채 얼굴을 한껏 찌푸리고 있다. 비틀거리는 몸으로도 정확히 이쪽을 향해 달려왔다. 굉장히 기괴하고 공포스럽다. 달려 오는 속도 만큼 강하게 머리를 쳐줄 거다.
'아... 제발...!'
손에 힘이 들어가지 않는다. 막대를 빼느라 이미 많은 힘을 써버렸다. 젖은 나무 막대가 예상보다 무거웠다. 팔꿈치 아래가 큰 간격으로 경련하듯 흔들렸다.
앞으로 세 걸음. 이대로는 위험하다. 이번 공격을 마지막으로 도망가야만 한다. 막대기의 끝을 그것의 복부로 향했다. 나는 남은 힘을 쏟아부어 막대를 밀어냈다. 절대로. 절대로 잡히지 않을 거다.
......이상했다. 튕기는 감각이 느껴지지 않는다. 분명 그를 밀쳐내기 위해 막대를 뻗었다. 그러나 멈추지 않았고, 느리게 나아갔다. 막대의 무게가 처음보다도 무겁고, 손끝의 감각이 진득했다. 끝에 걸리는 느낌이 상당히 묘하다. 왜 튕겨 나오지 않지?
생각해 보니. 막대의 끝이 뾰족했던 것 같다. 두껍게 이어지는 선 너머. 고통에 억눌린 신음이 헛숨만 들이켰다. 흐려진 배경 속. 빨갛게 번져가는 파란색 카라 셔츠. 호준의 팔이 느리게 올라왔다. 막대를 잡아 빼려는 것일까. 나도 모르게 막대를 더 단단히 고정했다. 초점 없는 시야에 먹구름 가득한 하늘이 보였다. 비가 한두 방울씩 떨어지기 시작했다. 앞에 있는 그것이 옆으로 기울어 쓰러졌다. 두어 번 경련하더니, 마침내 멈췄다.
차마 제대로 살펴볼 수 없었다. 주변 시야로 느껴지는 흐릿한 형체만 느꼈다. 발목까지 차오른 물에 반쯤 잠겨 있는 것 같다. 고개 숙여 확인하지 않아도 알 수 있었다. 나는 사람을 죽였다.
언제부터였을까. 메아리치듯 울리던 각종 소음이 들리지 않았다. 시야에 비치는 잔상이 두 개로 보였다. 흐려진 초점과 무섭도록 고요한 세상.
도망치자. 처음에 들어왔던 그 출입구로. 그 탈출구로. 실낱같이 얇은 마지막 정신을 붙들었다. 서두르는 두 다리가 무거웠다. 차오르는 물이 종아리 근처에서 소란스럽게 참방거렸다. 돌계단을 밟아 올랐다. 뒤 한번 돌아보지 않고 계속, 계속 앞으로만 뛰어나갔다.

***

어제 저녁을 어떻게 보냈는지 기억나지 않는다.
"...어제 오후에 돌아오니, 내가 이불을 뒤집어쓰고 자고 있었다고?"
침대에 걸터앉아 건너편 의자에 있는 형석에게 물었다.
"그렇다니까. 몇 번을 물어보는 거야? 내가 돌아왔을 때는 이미 씻고 누워서 자고 있었어."
몇 번을 들어도 모르겠다. 언제 들어와서, 언제 씻고, 언제 누웠던 걸까. 사실 그 이후도 기억에 없다. 정신을 차렸을 때는 이미 하루가 지났고, 어디선가 마사지를 받고 있었다.
"누나. 역시, 아직도 화났어? 미안해... 그래도 그렇지. 벌써 일곱 번째 사과야. 왜 어제부터 대꾸를 제대로 안 해주는 거야?"
일곱 번이나 사과했다고? 세상에. 정말 기억이 안 난다. 이제 보니 형석의 얼굴이 많이 상해 있었다. 눈썹은 축 처지고, 피부가 거칠다. 입 주변에 수염 자국이 거뭇하다. 내 반응을 많이 신경 쓰고 있었나. 사실 형석과의 다툼은 이제 문제도 안 됐다. 더한 사건이 나를 기다리고 있었으니까. 어제를 떠올리니 다시 얼굴이 굳는다. 어떻게 해야 하지.
"제발! 무슨 말이라도 좀 해줘. 알겠다든지. 싫다든지. 됐다든지. 왜 입을 꾹 다무는데.. 무표정으로 무슨 생각을 하는지 몰라서 무섭잖아. 미안, 누나... 미안하다니까."
아, 내가 또 형석의 대답을 무시했구나. 그의 목소리가 조금 전보다도 높아졌다. 이제는 약간 애원하듯이 용서를 구한다. 이런 식의 흐름으로 지금껏 사과를 못 받아줬나 보다. 그를 신경 써주지 못하는 게 미안했다. 그럼에도 몸 전체를 지배하는 이 생각에서 빠져나오기가 어려웠다.
"아. 나도 미안.. 이제 괜찮아. 응. 괜찮아."
최대한 진심을 담아 전하려고 노력했다. 목소리에 힘을 싫고, 그에게 안심하라고 전하고 싶었다.
"누나..! 아, 정말. 왜 자꾸 그런 식인데."
결국 내 표정은 전혀 나아지지 않았나 보다. 그가 답답하다는 듯 짧은 한숨을 내쉬고 테라스 쪽을 향해 고개를 돌렸다.
굵은 빗방울이 테라스의 유리문을 거세게 두드렸다. 하루내 장대비가 쏟아졌다. 우리는 모든 일정을 취소하고 숙소 주변만 조금 돌아다녔다. 마사지를 받고, 기념품을 파는 쇼핑몰에 가고, 인근 맛집이라며 추천해 준 식당을 다녀오고. 뭘 해도 집중하지 못하고 미간을 찌푸리니, 형석이 지금까지 내 눈치를 살폈다. 머릿속을 갉아 대는 생각들이 계속해서 나를 괴롭혔다. 충동적인 범죄행위. 그에 대한 죄책감과 두려움. 앞으로 일어날 수만 가지 가능성에 대한 심란함. 침대 위에 앉아 멍하니 허공만 바라봤다.
이곳 직원들의 반응도 신경 쓰였다. 이상하리만치 평화로운 숙소. 평소와 같은 하루. 분명 호준은 이곳의 직원이라 말했다. 이 작은 숙소의 몇 안 되는 직원이다. 그런 그가 지금 무단결근을 했다. 그럼에도 이곳 사람들에게서는 그런 종류의 당혹스러움이 전혀 느껴지지 않았다. 그는 정말 이곳의 직원이 맞나? 형석에게도 산책길을 소개해 줬다고 하지 않았나? 아니, 애초에 형석을 만나기는 했을까? 지끈거리는 머리에 무릎을 감싸안아 고개를 숙였다. 나를 보는 형석의 시선이 느껴진다. 고개만 살짝 돌려 그에게 물었다.

"형석아... 혹시 어제 아침에 말이야. 나랑 싸우고 나서, 어디 갔었어? 따로 누구 만나지는 않았어?"

갑작스러운 질문에 형석이 의아하다는 표정을 짓는다. 다급히 말을 덧붙였다.

"아니, 그. 내가 숙소에 돌아왔을 때는 네가 없었던 것 같아서.. 어디 갔나 하고."

"어제는 그냥 계속 혼자 걸었지.. 생각도 할 겸 숙소 뒷길로 쭉 걷다 보니, 산 중턱까지 올라가 버려서 조금 헤맸거든. 누굴 뭐 따로 볼일이 있나? 아, 혹시 누나 찾으러 바로 돌아오지 않아서 화났던 거야..?"

"아냐, 그런 거! 그냥 어떻게 알고 그렇게 긴 시간 산책길을 걸었나 싶었지. 아무도 안 만났다는 거지? ...알겠어. 산을 헤맨 줄은 몰랐네. 내가 너를 찾으러 갔어야 했나 보다. 형석이는 길 잃은 숲속의 왕자네!"

괜히 농담을 던지며 이야기를 마무리했다. 형석이 붉어진 얼굴로 길치는 아니라며 변명했다. 그의 표정을 보니, 내 농담에 한결 편해진 얼굴이다. 형석과의 문제는 이걸로 해결된 것 같다.

호준은 나에게 거짓말을 했다. 형석과 그는 만난 적이 없다. 역시 이상하다. 설마 직원이 아닌가? 아니면 이곳에 매일 출근하는 사람이 아니었던 걸까? 예민해진 감각이 지금 당장 확인하라고 외치는 것 같았다. 그와의 접점이 드러나지 않도록 제대로 알아봐야겠다.

***

로비로 내려오자 익숙한 얼굴이 보였다. 체크인을 도와줬던 젊은 여직원이었다. 건강해 보이는 구릿빛 피부에 검은 머리칼을 단정하게 묶은 여자. 친절하고 밝았던 표정이 기억에 남는다. 바로 묻지는 못하고 주변에 있는 긴 갈색 소파에 앉았다. 시선을 카운터에 고정한 채 머릿속으로 그녀에게 꺼낼 이야기를 정리했다.

발걸음을 옮기니 여직원이 기다렸다는 듯이 방긋 웃어준다.

"안녕하세요. 무엇을 도와드릴까요?"

"이곳에 한국인 직원이 있다면, 도움을 받고 싶은데. 만나볼 수 있을까요?"

나도 덩달아 입꼬리를 올려 물었다. 내 말을 들은 직원의 표정이 의아함으로 가득하다.

"한국.. 국적의 직원 말이죠? 죄송하지만 여기에 그런 직원은 없습니다. 어떤 종류의 도움이 필요한거죠?'

"...네? 한국인 직원이 없어요? 아, 저희 일행이 영어가 익숙하지 않아서요. 한국인에게 근방의 지리나 관광 명소에 대한 설명을 들을 수 있다면 좋겠다고 생각했어요."

말하면서도 뜨끔했다. 도움이 필요하다는 말을 정말 능숙하게 영어로 말하고 있었다.

"아! 그런 거라면 다른 관광회사를 연결해 줄게요. 분명 도움이 될 거예요."

그녀가 알겠다는 듯이 관광회사 카탈로그로 손을 뻗었다.

"잠시, 잠시만요. 그럼 혹시 이 숙소로 파견 나오는 한국인 직원도 없어요? 관광 가이드도?"

움직이는 그녀를 멈춰세우며, 다급하게 되물었다. 필요한 건 관광회사 연락처 따위가 아니었다.

"파견이요? 그런 말은 처음 듣는데... 없어요. 숙소에서 가이드를 따로 고용하지는 않아요."

머리를 한 대 강하게 맞은 것 같았다. 없다고..? 그럼, 그는 누구지? 정신이 멍해진다.
“여기요. 여기에 연락을 해보면, 분명 한국어로 도와줄 사람이 있을 거예요.”
어느새 적었는지 몇 가지 번호가 적힌 메모를 건네준다. 메모는 쳐다보지도 않고 손만 느리게 내밀었다. 직원이 아니라면 뭘까. 같은 투숙객인데 나에게 거짓말을 한 걸까? 굳이?
“감사해요. 참고할게요. 그럼 혹시.. 함께 이야기를 나누며 같이 돌아다니고 싶은데, 다른 한국인 관광객은 없었을까요?”
받아 든 메모를 곱게 반으로 접으며 물었다. 그녀가 두 눈을 빠르게 깜빡이더니 위아래로 나를 훑어봤다. 사람 찾는 티가 너무 났을까.
“개인 정보라 알려줄 수 없는데요... 하지만, 보시다시피 비성수기라 손님이 없기도 하고. 제가 알기로 한국인 관광객은 당신들뿐이에요. 303호 손님 맞죠? 그 외에는 없네요.”
‘없다구요..? 한국인 아니라 동양인처럼 생긴 사람도 저희 말고는 없나요?’라고 다시 한번 묻고 싶었다. 더 확실히 하고 싶었다. 그렇지만 이 이상은 나중에 의심을 사게 될 것 같았다. 손에 저절로 힘이 들어갔다. 카운터 아래 가려진 메모지가 저항 없이 구겨졌다.
“...더 필요한 일 있으신가요?”
여전히 친절한 미소를 얼굴에 머금은 그녀가 나에게 묻는다.
“아, 아뇨!. 괜찮아요. 죄송해요.”
메모를 바지 주머니에 쑤셔 넣고는 서둘러 다시 올라갔다.
그래. 한국 관광객을 위한 직원이 따로 있을 리 없었다. 이렇게 작은 숙소라면 더더욱. 그 간단한 사실도 떠올리지 못하고 따라갔다니. 정말 안일했다. 그렇다면 호준. 그는 누구인가. 직원도 아니고 투숙객도 아니란다. 다른 곳에서 온 사람인 걸까? 모르겠다. 목격자를 찾아야 한다. 그를 본 사람을. 그와 내가 함께 있던 것을 본 사람을.

***

이번 여행도 끝이다. 숙소에서 모든 짐을 뺐다. 해가 중천에 떠 있는 지금. 형석과 함께 그곳으로 향하고 있다. 그냥 돌아가기 아쉬우니, 마지막으로 한 번만 더 해변을 눈에 담아두자고. 그렇게 말해뒀다. 하지만 내 목적은 달랐다. 한가지 거스러미 같은 불편을 해소하기 위해. 진실을 밝히고 확실히 해두기 위해. 증인을 데리고 그곳으로 향하고 있다. 비밀 명소. 신의 해안가. 끔찍한 것을 보게 되더라도, 우리는 단지 첫 번째 발견자일 뿐이다. 그러니까 괜찮다.
어제 저녁, 마주친 사람마다 우리 외의 동양인을 본 적이 있는지 물어봤다. 이유를 만드는 것은 어렵지 않았다. 동향인 여행객과 어울리고 싶어 그렇다고 말하면 됐다. 그 결과 호준에 대해 아는 사람이 아무도 없었다. 비슷한 인상착의도, 이목구비도 본 적이 없다고들 말했다. 목격자 없어서 다행이라고 생각했다. 완전한 해방. 완벽한 범죄. 마음이 한결 편해졌다. 그러나 시간이 지날수록 또 다른 가설이 떠올랐다.
'그는 애초에 존재하지 않는 사람인가?'
이 질문이 머리 한편을 콕콕 찔러댔다. 지친 마음이 만들어낸 환상, 나의 부담감이 만들어낸 환영, 환각, 환청, 상상 속의 존재. 물론 정신적으로 피로한 상태이긴 했다. 하지만.
'그게 전부 다 거짓이라고?'
아니다. 말도 안 됐다. 나를 의심할 순 없었다. 분명 그를 만났고, 그와 대화도 나눴다. 지금도 살아 있는 육질의 촉감을 기억한다. 내 손으로 그를 죽였다. 그 감각들이 생생하다. 누가 뭐래도 분명히,

똑똑히 그 감촉을 느꼈다. 그러니, 지금 가서 제대로 확인해 볼 거다.
오늘은 이 섬에 방문했던 그 여느 때보다도 날이 맑다. 푸른 바다, 푸른 하늘. 그만큼 눈부시게 빛나는 해변의 모래들. 반짝이며 출렁이는 에메랄드빛의 물결. 그 길을 따라 다시 한번 북쪽 끝을 향해 가고 있다.
"누나. 뭐 좋은 일 있었어? 왜 이렇게 뛰듯이 걸어. 콧노래도 막 흥얼거리고. 날이 좋아서 그런가?"
옆에서 부지런히 따라 걷던 형석이, 나를 보며 흐뭇한 미소를 지어 보였다.
"내가? 그래? ... 맞아. 날이 좋아서 그랬나 보다. 어제 비가 그렇게 오더니, 이러려고 그랬나."
난 콧노래를 흥얼거리고 있었구나. 나도 모르게 경쾌해진 발걸음을 다잡아 조금 더 천천히 이동했다. 저 앞에 절벽의 모서리가 보였다. 비밀스러운 그 장소로 이어지는 유일한 입구이자 탈출구다.
"형석아, 물이 빠지니까 저쪽으로 이어지는 길도 있나 보다. 한 번 가보지 않을래? 궁금하지 않아?"
"그런가..? 그래, 한번 들어가 보자. 혹시 모르니까 내가 먼저 들어갈게. 보이는 만큼 길이 안 이어질 수도 있잖아. 절벽도 위험해 보이고. 잘 붙어서 조심히 따라와야 해?"
형석이 앞서가며 좁은 길 틈으로 걸어갔다. 나도 곧바로 뒤따라 들어갔다. 미지의 공간에 대한 불안감 때문일까, 형석의 어깨에 긴장감이 느껴진다. 나도 끔찍한 것을 목격할 그의 반응이 걱정됐다. 우리는 서로 다른 이유로 경직된 몸을 이끌고, 또 하나의 작은 해변으로 넘어갔다.
앞서가던 형석이 우뚝 멈춰 섰다. 그의 넓은 등에 가려져 앞이 보이지 않았다. 느릿하게 다시 나아가는 그. 서서히 보이는 비밀의 해안가.......!

아무것도 없다. 아니, 처음 왔을 때와 같았다.
잠시 멈춘 형석은 아름다운 장면에 감탄할 뿐이었다. 그를 살짝 밀치며 앞으로 나아갔다. 느렸던 걸음이 점차 뛰듯이 빨라졌다. 병풍 같은 바위. 그 아래 그것이 기대어 있던 장소. 아무것도 존재하지 않았다. 몸을 돌려 쌍둥이 바위 근처로 가보니, 시체도 핏자국도 없었다. 물이 가득 담긴 파란색 바케스만 있을 뿐이었다.
'아니야. 그럴 리가 없어. 좀 더 뒤져보자. 정말로. 정말 환영이었다고? 말도 안 돼. 그 감촉은 분명 사람이었어. 어디 간 거지? 분명히 여기 있어야만 하는데. 아니야.. 제발.. 제발..! 여기 있어야만 한다고!'
부산스럽게 돌아가던 고개가 서서히 멈췄다. 쌍둥이 바위 아래 꼼짝없이 서서 멍하니 정신을 잃었다. 두 다리가 무거워졌다. 나는 극복하지 못했고, 벗어나지 못했다. 끝내지 못했으나, 끝난 줄 알았다. 나의 결심은 허황된 것이었다.
"서윤 누나! 왜 위험하게 그쪽으로 들어가 있어? 바다로 빠지면 위험하잖아. 이리로 와. 여기서 같이 사진 찍자. 여기 진짜 좋다. 우리가 이런 공간을 찾아내다니!"
형석이 나를 불렀다. 더는 아무것도 하고 싶지 않았으나, 그를 걱정시킬 수는 없었다. 형석에게로 시선을 돌리니 며칠 전의 그 바위를 오르려고 한다.
"야!! 위험하잖아. 거기가 얼마나 미끄러운 줄 알아? 아니.., 미끄러질 수 있으니까, 그래. 미끄러질 수도 있으니까 올라가지 마! 여기서. 아래에서 찍어. 여기도 충분히..."
혹여나 형석이 그런 사고를 당할까 봐 걱정됐다. 이미 잔뜩 구겨진 얼굴로 다급하게 소리쳤다. 그를 급히 불러 세우며 바위 근처 아무 곳이나 손가락으로 가리켰다. 그런데 그곳에. 그 돌이 있었다. 여기저기 패여, 검은 흔적이 가득했던 못난 돌.
눈이 건조해지는 게 느껴질 정도로 두 눈이 커졌다. 벅찼다. 심장의 박동이 빨라졌다. 떨리는 손끝으로 그것을 주워들었다. 물에 조금 씻긴 느낌이긴 하지만, 분명히 내가 주었던 돌이다. 원래보다도 더 부자연스러운 얼룩들이 흐릿하게 묻어 있다. 패인 홈 속에 내가 찾던 흔적이 분명히 있었다. 진득하게 뭉쳐 굳은 검붉은 색의 작은 덩어리. 아! 그래. 그럴 리 없지. 내가 옳았다. 나는 이루어냈다.
그 커다란 것이 어떤 식으로 감쪽같이 사라졌는지 모르겠다. 바다가 삼켰든지. 신이 청소했든지. 무엇이든 간에 이 작은 흔적은 함께 처리하지 못했다. 손에 주워 든 돌을 처음 발견했을 때처럼 이리저리 돌려 봤다. 이것으로. 울퉁불퉁 못난 그 마음으로. 나는 안식을 쟁취했고, 스스로를 구원해 냈다.
하늘을 향해 들어 올린 돌을 한참 바라봤다. 그리고 오를 수 있는 높은 바위로 발걸음을 옮겼다. 한 걸음 한 걸음이 조심스럽다. 혹여나 이 돌이 어디로 사라질까. 두 손으로 단단히 잡았다. 몸의 중심을 잡아가며 바위에 다리를 올렸다. 가장 높은 곳으로 천천히 발을 딛어 나갔다.
지평선 너머를 촬영하던 형석이 올랐던 바위를 다급하게 내려온다. 언제 발견한 건지 위태로워 보이는 나의 모습에 당황한 표정이다.
"스읍… 후…우"
꼭대기에 다다라 숨을 크게 들이쉬고 한 번에 내뱉었다. 점점 몸이 가벼워졌다. 마음을 다잡으니, 넓고 투명하게 푸른 바다가 보인다. 양손에 돌의 무게감이 고스란히 느껴졌다.
이틀 전 그날처럼 있는 힘껏 팔을 휘둘렀다. 짧은 포물선을 그리며 추락하는 돌. 넘실거리는 파도 속에서 요란스런 파동을 일으킨다. 이제는 그 흔적도 보이지 않는다.
내 마음속 뭉친 응어리들이 모두 파도에 휩쓸려 간 듯 평온하다. 나는 고개를 내려 바위 아래 형석의 얼굴을 찾았다. 드디어 마주한 그의 두 눈. 기억보다도 더 밝고 선명한 갈색 눈을 가졌다. 우리의 시선이 교차했다. 누구 하나 피하지 않았다. 그의 눈이 커졌다. 앞으로 그의 시선이 날 배려하지 않아도 괜찮다. 그 입에 서서히 피어오른 미소가 나에게로 이어졌다. 불안도, 고통도, 의심도, 걱정도. 이제는 끝났다.

작가의 말_이수아

앤솔러지 주제가'여행'이 된 순간부터, 상상만으로 이리저리 많은 곳을 떠돌았습니다. 저 너머 그 누구도 모르는 우주의 행성까지 다녀왔죠. 그렇게 정착하게 된 장소가 여러분이 방금 다녀온 그 섬. 마리아나 제도의 한적한 해변입니다.
상상 속의 저는 섬의 끝자락에 발을 딛고 파도를 바람을 느꼈습니다. 태양을 바라보며 서서히 발걸음을 옮겨 나갔고, 이야기는 시작되었습니다. 처음 보는 낯선 남자는 어느새 스토커로 변했고, 주인공을 구원해 줄 운명의 남자'형석'은 이야기의 뒤편으로 밀려나 버렸습니다. 쭉쭉 뻗어나가는 수많은 이야기의 갈래에서 한 가지 선택만을 강요받으며, 그렇게 저의 첫 이야기가 완성되었습니다.
'트라우마'와'시선'의 무게를 극복하고자 하는 서윤, 그리고 그녀의 일상과 평안을 파괴하는'스토커'. 두 사람이 바닷가에서 겪게 된 일생일대의 격정적인 사건. 사실, 이 이야기에는 많은 비밀이 숨겨져 있습니다. 오죽하면 이번 단편을 시리즈로 삼아'비밀1'이라는 제목을 붙이려고 했죠.
'비밀1'에서는 시선으로부터 해방될 수 있었던 서윤의 비밀 이야기를, '비밀2'에서는'신'도 아니고'바다'도 아닌 형석이 서윤 몰래 범죄 행위의 뒤처리를 돕는 이야기를, '비밀3'에서는 뜬금없이 태평양 섬에 나타난 호준의 이야기를 풀어내고 싶었습니다.
하지만 제가 들려줄 이야기는 비밀1까지입니다. 여기<스토커>의 내용까지만 여러분에게 소개하고 나머지는 독자들의 상상에 맡겨보려고 합니다. 형석은 정말 뒷산에서 길을 잃었을까? 서윤을 찾아보려 하지 않았을까? 서윤의 혼란스러운 감정을 형석은 눈치채지 못했을까? 그녀의 변화를 의심 없이 수용할 수 있을까? 호준은 정말 스토커일까? 혹시 환상은 아니었을까? 갑자기 나타난 그는 누구일까? 왜 그곳에 있었을까? 여러분의 상상 속이라면, 그들의 이야기가 더 다채롭게 변해갈 수 있을 것 같네요.
그리고 여러분! 눈치채셨을지 모르겠지만, 사건은2021년 이전에 발생했습니다. '스토커' 가해자를 처벌할 수 있는 정당한 법률이 2021년 이후에 만들어졌거든요. 그전까지 수많은 스토킹 피해자는 어떤 식으로도 보상받지 못할 고통스러운 시간을 혼자 감내해야만 했습니다. 그전에는 스토커들을 처벌할 만한 법적 근거가 마련되지 않았습니다. 물론 지금도 가해자를 벌할 근거가 마련되었을 뿐, 피해자가 받은 고통과 그들이 잃은 시간은 어떤 방법으로도 보상받지 못합니다.
그래서 여기. 우리의 주인공 서윤은 스스로 결단을 내렸습니다. 그를 직접 처리하고 자신만의 구원을 얻어내고자 했죠. 이후 서윤의 삶이 그녀의 예상대로 자유롭고 평안할지 모르겠습니다. 사람을 죽였다는 또 다른 트라우마가 그녀를 기다리고 있을 수도 있습니다. 다만, 그녀가 누군가의 생명을 뺏어야겠다는 결심을하게 될 정도 그녀는 불안과 고통 속에 살았으며, 이미 잃어버린 많은 순간과 더럽혀진 마음의 상처는 돌려놓을 수 없다는 건 확실한 사실입니다.
여러분은 지금 평안한 하루를 보내고 계실까요? 나의 관심과 시선이 누군가에게 상처가 되지는 않을지, 혹은 내가 무심코 흘린 개인정보가 누군가에게 범죄의 빌미를 제공하지는 않을지. 독자 여러분은 항상 조심하고 주의하는 태도를 지닐 수 있으면 좋겠네요. 어쩌면 당연하고도 뻔한 결론이지만, 이번 기회로 더욱 경각심을 갖고 살아가기를 바라봅니다. 이상으로 짧은 집필 후기를 마무리 짓겠습니다. 당신의 앞날이 자유롭고 평안하기를.

뒤 바뀐 밤

허정애

"왜 하는 일이 그 모양이야?"
차 안을 울리는 고성에 나는 몸을 움츠렸다. 죄송하다는 말은 이미 이 사람에게는 들리지 않는 것 같았다.
"오늘 일 중요하다는 거 잊어버렸어? 정신을 어디에다 두고 다니는 거야? 젊은 사람이 빼먹을 것이 따로 있지. 이번 건 실패하면 다 자네 때문이야."
"분명히...."
겨우 한마디 떼보지만, 최 과장은 기다려주지 않았다.
"아직도 변명이야? 돌아가면 사표 쓸 각오해!"
근지러운 입가를 꾹 물었다. 그러자 최 과장은 기세 좋게 다시 한 번 소리치기 시작했다. 하지만 무슨 말을 하는지 도통 들어오지 않았다. 등덜미에 열이 오르며 식은땀이 솟구칠 뿐이었다.
"하아...."
나도 모르게 한숨이 입 밖으로 튀어나왔다. 눈을 감았다 뜨며 정신을 가다듬었다. 그러다 갑자기 끼어드는 옆 차가 보였다. 나는 급브레이크를 밟았다.
"아!"

"장인혁 씨! 지금 정신을 어디 두고 운전하는 거야? 왜 하는 일마다...."
다시 흥분한 최 과장이었다. 어째서 매번 이 사람에게 쓴소리를 들어야만 할까? 그의 얼굴에서 문득 아버지가 떠올랐다. 모든 일이 내 잘못인 듯 쓴소리만 해대는 아버지를 원망했다. 애초에 그 사람과 거리를 두고 싶어 먼 서울까지 취업했다. 그런데 내 인생은 바뀐 것 하나 없었다. 과거나 지금이나 누군가에게 통제를 당하는 삶을 살 뿐이었다. 마음속에서 끓어오르는 분노가 느껴졌다. 한마디라도 좋으니 반박하고 싶었다. 고개를 돌리는 순간 놀란 표정으로 내게 소리치는 최 과장이 보인다. 그의 커다래진 눈동자에 비친 덤프트럭이 보였다.
"아아 아악!"
최 과장의 고함과 함께 몸이 떠올랐다. 이내 하늘과 땅이 어지럽게 흔들렸다. 곧 세상이 멈추고 고요했다. 눈을 뜨고 싶었지만 어쩐지 무거운 눈꺼풀을 이기지 못했다. 차라리 이대로 깨어나고 싶지 않았다.

***

'윽. 아파.'
찌르는 고통에 머리를 부여잡았다. 익숙한 알코올 냄새가 코를 찔렀다. 주변을 둘러보니 정신없이 지나다니는 사람들이 눈에 들어왔다. 나는 고개를 다시 돌려 천장을 올려다보았다. 지난 일을 떠올리려 하자 미간이 좁혀지며 울컥했다. 원망 섞인 신음에 몸을 움츠렸다. 나는 조금 더 내 몸을 살피기 위해 몸을 일으켰다. 그리고 내게 덮어져 있던 이불을 걷었다.

'응?'
내 꼴을 보니 그제야 심각성을 깨달았다. 매우 놀라며 침대에서 벌떡 일어났다. 바닥에 두 발이 닿는 순간 삐걱거리는 관절에 휘청거렸다. 더욱 크게 당황한 나는 주변을 살폈다. 그러고는 걸리적거리는 링거를 잡아 빼내었다. 팔뚝에서 느껴지는 고통은 대수롭지 않았다. 정신을 가다듬고 화장실로 향했다.
"으아악!"
괴상한 비명이 병원을 울렸다. 나는 화장실 문을 거칠게 열고 나왔다. 거친 호흡에 심장이 빨리 뛰었다. 커다래진 두 눈으로 병원 곳곳을 두리번거렸다. 나를 쳐다보는 시선들을 거두고 미친 듯이 복도를 뛰었다. 하지만 얼마 가지 못해 크게 부딪히며 넘어졌다.
"아!"
찌릿한 느낌이 엉덩이에 전해졌다. 곧 정신을 차리고 고개를 들었다. 나를 내려다보고 있는 한 사람이 눈에 들어왔다. 온몸에 소름이 돋았다.
"괜찮으세요?"
목발을 짚고 서 있는 그가 나에게 손을 내밀었다. 얼떨결에 붙잡은 손에 몸을 일으켰다. 30년 인생 최대의 고비가 눈앞에 있었다. 상상도 하지 못한 전개였다.
"하아.... 말도 안 돼.... 어째서.... 왜?"
한숨 섞인 혼잣말을 걸어오는 내내 중얼거렸다. 옆에서 목발을 짚고 따라오는 그를 흘긋거렸다. 비현실 같은 현실을 혼자 회피 중이었다.
병실 안은 무거운 공기가 맴돌았다. 숨도 제대로 쉬어지지 않는 것 같았다. 나는 괜스레 그의 눈을 피하며 불편함을 드러냈다. 하지만 그는 아주 평온해 보였다. 마치 아무 일도 없었던 것 같은 표정이었다. 나도 모르게 그의 얼굴을 넋 놓고 보았다. 그러다 순간 미간을 좁혔다. 나는 조심스럽게 입을 떼었다.

"저...."
"괜찮나?"
평소와는 다른 질문에 깜짝 놀랐다. 하지만 무엇보다 그의 얼굴을 보니 그전까지 했던 원망들이 순식간에 날아가는 듯했다.
"....죄, 죄송합니다. 저 때문에...."
나는 진심을 담아 그에게 고개를 숙였다. 사실 모든 것은 내 잘못이기도 했다. 이 순간만큼은 그를 미워하면 안 될 것 같았다. 하지만 그가 무서운 건 어쩔 수 없었다. 두근대는 심장 소리에 눈을 질끈 감았다. 어느새 그가 불편한 다리를 이끌고 내게 다가왔다.
"괜찮아. 이만하면 다행이지. 흠! 그, 그리고 나도 미안했네."
"네.... 정말.... 네?"
그의 대답에 고개를 빠르게 들었다. 헛것을 들은 것이 분명했다. 나는 그의 얼굴을 이리저리 살폈다. 그는 괜스레 내 눈을 피하며 빨개진 얼굴을 숨기기에 바빴다. 당황하는 그의 모습을 보니 나도 모르게 웃음이 나왔다.
"푭."
"흠! 그,그나저나 이 상황을 어떻게 하면 좋을지...."
그렇다! 지금 그의 사과에 감동하고 있을 때가 아니었다. 나는 웃음기를 싹 지우고 다시 그를 쳐다보았다. 이내 고민에 빠진 그가 보였다. 한참 서성거리는 그를 눈으로 좇았다.
'그런데 어째서 이 사람과 몸이 바뀌었지?'
교통사고가 났다. 그 사고만 아니었다면 이란 생각이 앞섰다.
"....교통사고."
"뭐?"
"맞아.... 교, 교통사고 때문이지 않을까요?"
"음.... 교통사고가 났다고 몸이 바뀔까?"
틀린 말은 아니었다. 그러나 분명한 건, 이 모든 일의 시작은 교통사고라 생각한다. 하지만 사실을 알았다고 해서 당장 달라지는 건 없었다. 점점 미궁으로 빠지는 생각에 머리를 감싸 쥐었다.
"하아.... 이제 어쩌죠? 평생, 이 모습으로 살아야 한다고 생각하니...."
속마음이 입 밖으로 튀어나왔다. 나는 곧바로 입술을 꾹 물었다. 분명 나의 말에 한마디 거들었을 그의 반응이 없는 것이 이상했다. 나는 고개를 들어 그를 찾았다. 무언가 생각에 빠진 듯 창밖을 응시하고 있었다.
"과장님?"
내 불음에 그가 고개를 돌렸다. 진지한 표정을 한 그의 모습을 보니 왠지 모를 불안감이 엄습했다. 나는 본능적으로 몸을 돌려 피하려 했다. 하지만 그에게 잡힌 어깨를 쳐다볼 뿐이었다.
"장인혁 씨! 이제부터 우린 연기를 하는 거야. 원인을 알아낼 때까지...."
"예? 지, 진심이세요?"
두 귀를 의심했다. 장난하는 건가? 지금까지 가까이하고 싶지 않았던 내 상사의 연기를 하라는 말에 나는 미간을 좁혔다. 그리고 그를 똑바로 올려다보며 고개를 크게 가로로 흔들었다.
"우리 몸이 바뀌었다는 걸 아무도 몰라야 해!"
"그, 그렇지만.... 최 과장님 집에 아내와 딸에겐 분명 들킬 겁니다! 그리고 회사에서도 분명 이상하게 생각할 거예요."
자기 아내와 딸 이야기가 나오자, 최 과장의 표정이 일그러졌다. 나는 다시 그의 눈치를 살폈다. 하지만 다시 결심한 듯 내 어깨를 강하게 자극했다.
"그래도 어쩔 수 없어! 잘 생각해 봐. 이미 우리 몸은 바뀌었어. 하지만 어떻게 하면 다시 돌아갈지 생각해 봐야 답은 나오지 않아. 그렇다면 각자 자신의 몸을 책임져야 하지 않겠어? 그리고 회사는 쉬면 돼!"
그의 설득 있는 말에 나의 눈빛이 흔들렸다. 하지만 자신이 없었다.

최 과장으로 산다는 것 그 사실이 끔찍했다. 지금 최 과장의 몸은 정말 불편했다. 제법 나온 뱃살에 빈약한 팔 다리가 눈살을 찌푸리게 했다. 이것이 50대의 몸인가 싶다. 관리를 얼마나 안 했는지 한눈에 보였다. 눈은 푹 꺼지고 영양이 부족한지 넘치는지 모를 몸을 보고 있자니 한숨이 끊이질 않았다. 물론 내 몸은 아주 건강했다. 야근이 많았지만, 틈틈이 근력운동으로 다져진 몸이었다. 내 몸을 다른 사람의 눈으로 바라보니 누구나 반할 만한 멋진 몸인 것 같았다. 나는 할 수 없다는 듯 고개를 떨궜다.

"하아.... 어쩔 수 없죠.... 자신은 없지만 잘 부탁드려요."

"그래! 앞으로 잘 해보자고."

서로 맞잡은 손을 내려다보았다. 이 순간 만감이 교차하는 건 나뿐만이 아닐 것이다. 어쨌든 다른 수가 없었다. 늙고 낡아버린 최 과장 몸 일지라도 지금은 내 몸이었다.

천장을 바라보며 침대에 눕는 것만으로도 허리가 찌릿했다. 이런 몸으로 회사에 다니고 가정을 돌보았다니 믿기지 않았다. 이제부터 바꿔야 할 것들이 많을 것 같았다. 생각이 깊어지니 어느새 눈꺼풀이 무거워졌다.

***

다 뜨지도 못한 눈으로 슬리퍼를 끌고 병실을 나섰다. 최 과장 아니 장인혁이 커피 심부름을 시켰기 때문이다. 몸이 바뀌어도 성격까지 바뀐 건 아니었다. 한숨을 내쉬며 자판기에 동전을 넣었다. 요란한 기계음이 들리며 컵이 툭 하고 떨어졌다. 잠이 덜 깼는지 자꾸만 눈이 감겼다. 나는 자판기에 이마를 대고 커피가 나오기를 기다렸다. 곧 달콤한 커피 향이 코끝을 간지럽혔다.

"여기서 뭐 해?"
내 얼굴에 맞춰 고개를 꺾는 누군가가 희미하게 보였다. 노안이 있는 건지 가까이에 있는 상대가 잘 보이지 않았다. 나는 눈을 몇 번 깜박거렸다. 잠시 뒤 눈앞이 환 헤지며 젊은 여성이 눈에 들어왔다. 나는 깜짝 놀라 자판기에서 이마를 뗐다. 늘씬한 몸매에 스타일이 굉장히 좋은 여성이었다. 그리고 그녀의 왼손에는 두 개의 쇼핑백이 들려 있었다.
"누구...?"
"응? 아빠! 지금 나보고 말하는 거야?"
내 눈앞에 그녀의 손이 좌우로 흔들거렸다. 그리고 그녀에게서 기분 좋은 향기가 났다. 순간 잠이 확 깨면서 정신이 돌아왔다.
"지애야! 그, 그게 아빠가 잠이 덜 깨서.... 미안. 그, 그런데 여긴 어떻게 알고 왔어?"
"엄마가 걱정하면서 전화해 줬어. 아빠 교통사고 났다고... 그런데 진짜 괜찮아?"
"아. 그랬구나.... 아빠 괜찮아. 걱정하지 마."
깜짝 놀랐다. 가족들이 찾아올 거라고 생각지도 못했다. 최 과장의 가족들이 많이 걱정한 듯 보였다. 그녀의 얼굴을 보니 가족의 사랑을 느껴보는 것이 얼마 만인지 모르겠다. 그때 자판기에서 알람 소리가 들렸다. 허리를 숙여 커피를 꺼내 들었다. 역시 이 허리는 정말 불편했다.
"아빠가 마시려고?"
"아! 마시고 싶어? 줄까?"
"아니야. 난 커피믹스 별로.... 근데.... 아빠도 안 좋아하지 않아?"
"아.... 그게...."
의아한 표정의 그녀를 두고 나는 생각했다. 최 과장이 커피믹스를 싫어했던가? 그에 대해 아는 것이 전혀 없었다. 커피를 들고 가는 내내 그녀를 힐끔거렸다. 그녀가 다음번엔 무슨 말을 하게 될지 긴장이 되었다.
"아빠, 여기 아니야?"
"아!"
그녀의 말에 뒤돌아보았다. 병실 앞에 이름표를 가리키고 있는 그녀였다. 너무 긴장했는지 병실을 지나쳐버렸다. 그녀가 병실 문을 열었다. 나는 재빠르게 따라 들어섰다. 그리고 동시에 침대에 앉아 있는 최 과장과 눈이 마주쳤다.
"....아.... 저.... 과장님?"
최 과장의 눈동자가 아주 빠르게 두 사람을 번갈아 가며 움직였다. 그가 얼마나 당황했는지 말까지 더듬거리며 그녀를 가리켰다.
"따, 따님하고 함께 오셨네요?"
"안녕하.... 근데 저를.... 아세요?"
그녀는 최 과장을 보며 큰 눈망울을 깜박거렸다. 역시 그가 실수할 줄 알았다. 그녀가 나를 알 리가 없었다. 반가움에 아는 척한 건 이해하지만, 이 상황을 어떻게 수습할지는 전적으로 내게 달린 것이었다. 고개를 돌려 최 과장의 표정을 보니 역시나 도와달라는 시그널을 보내고 있었다. 그녀의 표정도 나에게 답을 구하는 듯했다. 연기는 무슨!
"그.... 그때 아빠 취해서 집에 데려다준 직원 있었지? 기억.... 안 나니?"
"아! 아.... 그때 그분.... 안녕하세요."
"그, 그래요. 제가 그 직원! 입니다...."
최 과장의 안면이 기하학적으로 움직였다. 내 얼굴로 개그 하지 말아줬으면 좋겠다는 작은 바람이 생겼다. 나는 안도의 한숨을 내쉬었다. 안 좋은 기억 중에 하나를 꺼냈지만, 그녀가 나를 기억한다는 것에 가슴을 쓸어내렸다. 두 사람 때문에 이미 늙어버린 몸이 몇 곱절은 더 늙은 것 같았다. 그녀는 내 침대 위에 쇼핑백을 올려두었다. 동시에 나는 최 과장에게 커피를 건넸다.

"커피 감사합니다. 과장님. 잘 마실 게요."
"어, 어 그래."
"와.... 아빠가 그런 것도 해줘?"
"아.... 그, 그게 인혁 씨 다리 불편하니까. 아빠가 대신해 준 거야."
나는 애써 미소를 보이며 침대에 걸터앉았다. 그녀의 표정은 떨떠름해 보였다. 한고비 넘겼나 싶었는데 다시 좌불안석이 되었다. 평소 최 과장의 성격에 이런 일을 하지 않았을 것이다. 그녀는 작은 한숨을 내쉬며 쇼핑백으로 눈을 돌렸다. 나도 그녀의 눈치를 따라 고개를 돌렸다.
"이건 아빠 물건들이고, 이건 엄마가 아빠한테 주라고 했어."
그녀는 두 개의 쇼핑백 중에 하나를 건넸다. 무언가 굉장히 중요해 보이는 물건 같았다. 옆에 있는 두툼한 쇼핑백과는 다르게 아주 얇아 눈에 띄었다.
"고맙다. 엄마한테도 고맙다고 전화해야겠다."
미소를 보이며 쇼핑백을 받았다. 하지만 그녀의 표정은 나와 다르게 무거워 보였다. 뭔가 또 실수한 것 같았다. 계속되는 긴장감에 속이 쓰렸다.
"하아... 아빠. 내가 엄마하고 아빠 사이에 뭐라고 할 말은 없지만.... 엄마한테 좀 잘해줬으면 좋겠어. 그동안 엄마도 마음고생 많이 했잖아? 여자는 결혼을 해도 평생 여자이고 싶어 한 데. 그러니까. 아빠가 먼저 사과하고 용서를 빌었으면 좋겠어."
"그, 그래.... 걱정하게 만들어서 미안하다...."
애써 웃고는 있지만 어째서인지 죄책감이 몰려왔다. 그냥 미안하다는 말밖에 할 수 없었다. 그녀는 나를 쳐다보며 다시 한번 깊은 한숨을 내쉬었다.
"하아... 나한테 미안 할 게 뭐 있어. 그냥 방금 직원 챙겨 준 것처럼 엄마한테도 그런 다정함을 보여줬으면 좋겠다! 이 거지."
"그래.... 아빠가 노력할게."

"응. 아빠가 변하면 엄마도 변할 것 같아."
해맑게 웃는 그녀를 보니 가슴 한쪽이 찡했다. 그녀의 말을 듣는 내내 최 과장이 신경 쓰였다. 그때 지애가 들고 있는 휴대전화에서 진동이 울렸다. 그 소리에 고개를 들어 그녀를 쳐다봤다. 그녀의 빠른 손가락질 몇 번이 움직였다. 경이로웠다.
"아빠 나 그만 가볼게. 약속 있거든."
"응. 그래. 조심해서 가고 차 조심하고."
그녀는 휴대전화가 들린 손을 내게 흔들었다. 옆에 있는 최 과장에게 고갯짓하며 병실을 나갔다. 문이 닫히자 참았던 숨을 한꺼번에 내뱉었다. 과호흡이 올 것 같았다. 그때까지 내리지 못한 손을 쳐다보았다. 심장이 계속 두근거려 가슴 위에 손을 얹어보았다.
"연기 잘하네."
"예? 어디 가요? 저 진짜 심장마비 오는 줄 알았어요. 따님 온다고 왜 말 안 해 주셨어요?"
"나도 몰랐어. 그리고 내 휴대전화 자네한테 있잖아."
나는 지쳤다는 듯 고개를 떨궜다. 최 과장은 나를 다독여주었다. 역시 배우처럼 자연스러운 연기는 어려운 것이었다. 예습도 없이 들이닥친 그녀를 감당하기엔 피로도가 넘쳤다. 그리고 그녀가 주고 간 쇼핑백에서 꺼낸 하얀 봉투를 들었다. 봉투의 정면을 돌려보니 변호사 사무소가 적혀 있었다. 나는 조심스럽게 그에게 봉투를 넘겼다.
"하아.... 결국 이걸 보냈네."
봉투를 열어보지 않는 최 과장을 물끄러미 바라볼 뿐이었다. 한동안 봉투 겉면만 뚫어지게 쳐다보던 그는 고개를 들었다. 금방이라도 울 것 같은 표정이었다.
"저기...."
"아내가.... 이혼을 서류를 보냈어. 이젠 정말 날 떠날 생각인가 봐."
어떤 말로 그를 위로를 해야 할지 모르겠다. 나는 결혼 경험도 없고, 지금 애인도 없다. 분명 내가 모르는 최 과장의 삶이었다. 봉투를 조용히 쇼핑백에 담았다. 지애가 해줬던 말이 귀에 맴돌았다. 나의 부모님도 그러했다. 어머니는 평생 아버지의 내조에 힘썼다. 하지만 곧 병을 얻어 오래 살지 못하셨다. 하지만 아버지는 어머니가 돌아가실 때까지 그 고마움을 모르는 것 같다는 생각이 들었다. 지금 내 앞에 있는 최 과장도 그것을 느끼지 못해 이혼 위기에 놓였을 것이다.

그날 저녁 나는 아버지에게 문자 한 통을 받았다. '똑바로 살아라.'라는 글이었다. 헛웃음이 나왔다. 걱정 한마디 없이 한 문장으로 끝내는 아버지의 모습에 감탄했다. 예상하지 못한 일은 아니었다. 하지만 이렇게 간단하게 끝날 일도 아니었다.

***

퇴원하기 전 앞으로의 일을 이야기하면서 함께 지내자는 최 과장의 말에 동의했다. 동시에 회사에도 휴가를 냈다. 그의 집은 한번 방문한 적이 있었지만 아주 잠깐이었다. 자세히 보니 깔끔하고 정리 정돈이 잘 된 집이었다. 아내의 빈자리를 느끼고 있다고 말한 최 과장의 말이 떠올랐다.

나는 최 과장을 집에 두고 우리 집으로 향했다. 너무 오래 비워둬서 걱정이었다. 타고 가는 택시 안에서 왠지 모를 불안감에 심장이 떨렸다. 아마도 교통사고 후유증이지 않을까 싶다. 시원하게 쭉쭉 달리는 차들을 보니 언제 그런 일이 있었는지 모르겠단 생각이 들었다.

"하아... 완전히 엉망이네."

문을 열자마자 퀴퀴한 냄새가 나를 먼저 반겼다. 바닥에는 먼지 뭉치가 굴러다니고 있었다. 나는 빠르게 모든 커튼과 창문을 활짝 열었다. 따뜻한 햇살과 시원한 바람이 집안을 비집고 들어왔다. 오랫동안 밀렸던 빨래들을 세탁기에 넣고, 청소기까지 돌리고 나니 이마에 땀이 맺혔다. 집안에서 제일 좋아하는 소파에 몸을 구겨 넣었다. 오랜만에 느껴보는 편안함에 눈이 감길 것 같았다. 집안을 둘러보며 아침 일찍부터 와 보길 잘했단 생각을 했다.
"아... 시원하다..."
냉장고에 묵혀 둔 생수가 목젖을 얼얼하게 만들었다. 동시에 기분 좋은 바람까지 최고의 극락이었다. 누가 뭐라 해도 집이 최고였다.
휴식도 잠시. 해가 지기 전에 마쳐야 할 일들이 있었다. 나는 마시던 컵을 테이블에 내려놓고 옷방으로 향했다. 대충 입을 옷과 속옷까지 챙겨 담았다. 그러다 초인종 소리에 고개를 돌렸다. 나는 곧장 현관으로 뛰어갔다.
"누구세요?"
아무 생각없이 열린 문으로 뜻밖의 인물이 서 있었다. 하마터면 잡고 있던 현관문 손잡이를 놓칠 뻔했다. 상대방도 많이 놀랐는지 눈만 깜박거릴 뿐이었다.
"누, 누구시오? 여기 장인혁이 집 아닙니까?"
"아!"
집안을 기웃거리는 그를 보며 장인혁이란 단어에 말문이 막혔다. 현관 앞에 있는 남자는 자신의 바지 주머니에서 꺼낸 휴대전화로 무언가를 확인하기 시작했다. 그러고는 집 주위를 두리번거렸다. 또 실수했다. 왜 이렇게 자각이 없는 건지 모르겠다. 최 과장 집을 나오면서 조심하라고 신신당부를 들었었다. 사고 치기 전까진 모른다는 것이 흠이었다.
"아.... 호, 혹시 장인혁 씨 아버님 되십니까?"
"그렇습니다만? 혹시 인혁이 하고 아는 사이입니까?"
"네! 제가 장인혁 씨 상사 최선재 과장이라고 합니다. 처음 뵙겠습니다. 아, 일단 들어오세요."
나는 다급하게 이 상황 수습하기에 나섰다. 나의 짧은 소개와 인사를 건네며 현관문을 등졌다. 아버지는 나를 위아래로 훑어보신 뒤 조심스럽게 집 안으로 들어갔다. 머릿속이 복잡해 아무 생각이 나질 않았다. 아버지의 뒷모습을 보며 현관문을 닫았다. 침착하자.
"그런데.... 인혁이는 어디 갔습니까?"
아버지는 무덤덤하게 집안을 둘러보며 소파에 앉았다. 나는 천천히 목을 가다듬었다.
"그게.... 인혁 씨 다리가 불편해서 당분간 저희 집에서 지내기로 했습니다."
"그래요? 그 녀석이 과장님한테 폐를 끼치는 건 아닌지 모르겠습니다."
"아닙니다.... 폐는 무슨...."
애써 미소를 보이며 나는 침착하게 설명을 이어갔다. 아버지는 가만히 고개를 끄덕였다. 이번 연기는 어느 연기보다 잘 완성된 것 같았다. 하지만 역시 아버지의 뒷말은 어딘지 불편했다. 아버지는 헛기침하시며 나를 쳐다보았다. 뭔가 더 믿음을 줘야 하는 것 같았다.
"너무 그렇게 걱정하지 않으셔도 됩니다. 인혁 씨가 있어서 좋습니다."
어색함이 더욱 배가 된 듯 보였다. 아버지는 못마땅한 듯 고개를 가로저었다. 뭐가 그렇게 걱정되는 걸까? 나는 머리도 몸도 이미 다 커버린 성인이라는 걸 모르시는 걸까? 자꾸만 나오는 한숨을 참고 또 참았다. 하지만 가슴이 답답해져 오는 건 어쩔 수 없었다. 깨끗이 잘 정리된 집안 이리저리 훑어보시는 아버지가 한곳에 시선을 멈췄다.
"저거는 또 저렇게 쌓아두고.... 쯧쯧."
아버지의 시선을 따라 나도 옮겼다. 그곳엔 재활용 들이 한데 모여 있다. 벽 한쪽을 점령한 지 오래되어 보기에 좋지 않았다. 이미 잔뜩 쌓여 비닐 하나를 다 채우고도 넘치고 있었기 때문이다. 물론 일부러 안 치운 것은 아니었다. 민망함에 고개를 돌려 아버지에게 향했다.
“어쩔 수 없었겠죠. 회사 생활에. 병원까지 계속 바빴으니까요.”
“과장님. 그게 게으르다는 겁니다. 하는 일마다 어째 그 모양인지.... 쯧쯧. 저렇게 쌓아 둘 때까지 뭐 하고.... 한심하긴. 똑바로 하는 것이 없어.”
말문이 턱 막혔다. 타인의 몸으로 내 변호를 한다는 것도 충분히 웃겼다. 정말 기가 막힐 노릇이었다. 어째서 매번 쓴소리만 듣는 것일까? 진짜 아들이 눈앞에 있어도 칭찬 한번 없는 사람이었다. 이렇게 남 앞에서도 자기 아들 체면은 생각 안 하시는 것을 보니 분노가 턱 밑까지 쫓아왔다.
“저기 아버님... 꼭 그렇게까지 말씀하실 필요 있을까요? 제가 인혁 씨에 대해 이런 말씀 드려도 될지 모르겠습니다만.... 인혁 씨 잘하고 있습니다. 너무 그렇게 나무라지 않으셔도 자신도 잘 알고 있을 겁니다. 어떤 부분이 미흡하고 어떤 부분이 부족한지. 그리고 누구나 힘든 일은 있습니다. 각자 삶이 팍팍해 돌아볼 시간이 없을 뿐이지. 본인이 더 잘 아실 꺼라 생각하는데요.”
내 말을 들은 아버지는 미간을 좁혔다. 나도 따라 좁혔다. 이젠 더 이상 못 참겠다. 이미 넘쳐버린 분노가 입 밖으로 튀어나왔다. 아버지는 자리에서 벌떡 일어났다. 깜짝 놀라 따라 일어났다. 서로 눈싸움이라도 하듯 눈을 마주쳤다.
“하! 제가 주제넘었습니다. 그렇게 우리 아들에 대해 잘 아시니 걱정 없겠네요. 그럼....”
나는 고개 한번 돌리지 않았다. 현관까지 걸어가는 아버지의 발걸음이 무겁게 들렸다. 현관문이 요란하게 닫히며 집안은 다시 정적이 흘렀다. 나는 그 자리에 주저앉아버렸다. 두 손을 꼭 모아 바닥에 엎드렸다. 절망감과 씁쓸함에 눈물이 흘렀다.

***

아버지와의 일이 머릿속에서 지워지지 않아 내내 끙끙거리고 있었다. 이렇게 후회가 남을 일인가 싶었다. 나는 소파에서 이리저리 굴러다녔다. 괜스레 끌어안고 있는 쿠션을 때리기도 하고 구기기도 하며 화풀이를 했다. 방문이 열리는 인기척에 잠시 멈칫했다. 뚱한 내 얼굴을 본 최 과장이 한숨을 쉬며 다가왔다.
"인혁 씨. 우리 집 쿠션이 뭐 잘못한 거 있어? 이리 내."
"아!"
뺏긴 쿠션을 아련하게 쳐다보는 내 표정이 웃겼는지 최 과장이 크게 웃었다. 그러고는 쿠션을 자신의 휴대전화 받침대로 쓰는 최 과장이었다. 나는 크게 한숨을 내쉬며 그를 물끄러미 바라봤다.
"하아.... 과장님. 너무 하세요."
"응? 왜...?"
나에게 관심 없다는 듯 최 과장은 휴대전화로 고개를 돌렸다. 곧 콧노래까지 흥얼거리며 휴대전화를 만지작거렸다. 요즘 지애와 소통하며 행복한 시간을 보내고 있다. 가족 관계 회복에 적극적인 최 과장을 잠시 부러운 눈으로 쳐다봤다.
'내 얼굴도 저렇게 행복한 표정을 지을 수 있구나....'
나는 다시 단전에서부터 올라오는 깊은 한숨을 내쉬었다.
"인혁 씨! 전화!"
휴대전화 삼매경이던 그가 나에게 다급하게 휴대전화를 건넸다. 갑작스러운 상황에 나는 당황하며 휴대폰 액정을 쳐다봤다. 어서 받으라는 손짓을 하는 최 과장을 보며 휴대폰 액정에 손가락을 댔다.

"여보세요?"
"아. 아빠? 어디야? 나 지금 엄마하고 집에 가는 중인데."
"아빠 집이지. 근데 집에 오고 있다고?"
스피커로 들리는 지애의 목소리에 최 과장은 흐뭇한 표정을 지었다. 하지만 곧 두 사람이 집에 오고 있다는 말에 우리는 사색이 되었다. 함께 지내고 있다는 말을 최 과장 가족들에게 하지 않았다. 우린 당황해 언어도 잊어버렸다. 말도 안 되는 수화가 서로를 향했다.
"아빠? 내 말 들려? 목소리가...."
지애의 말이 채 끝나기가 무섭게 요란한 굉음이 들려왔다. 그리고 지애의 목소리가 멀어졌다. 불길한 기분이 들었다. 우리는 서로를 마주 보며 휘둥그레진 두 눈을 바라봤다. 최 과장은 다급하게 내가 들고 있는 휴대전화를 빼앗았다.
"지애야! 지애야! 여보! 연주야!"
최 과장은 이미 꺼져버린 휴대전화를 끌어안고 울부짖었다. 나는 그날의 악몽이 떠오르는 듯 귀가 울렸다.
우리는 한걸음에 병원으로 향했다. 복잡한 응급실을 헤집고 다녔다. 그리고 구석진 곳에서 지애를 발견했다. 상처투성이로 앉아 있는 지애를 보는 우리는 복잡한 심경이었다. 나는 조용히 최 과장의 손을 붙잡았다. 그는 나를 쳐다보며 고개를 끄덕였다.
"지애야!"
"아, 아빠!"
나는 힘차게 달려가 그녀를 꽉 끌어안았다. 지애는 눈물을 쏟아내며 나에게 안겼다. 나는 곧장 그녀에게서 떨어져 얼굴과 몸 여기저기를 눈으로 살폈다.
"괜찮아? 괜찮은 거야? 무서웠지."
"응...."
울먹거리는 지애의 눈물을 닦아주었다. 지애는 다행히 타박상 정도로 경미했다. 그 모습에 최 과장도 자신의 가슴을 쓸어내렸다. 나도 안도의 한숨을 내쉬었다. 하지만 최 과장의 아내가 보이지 않았다. 응급실 안을 두리번거렸다.
"그런데 엄마는?"
"엄마는...."
지애가 울먹거리는 소리로 말을 잇지 못했다. 최 과장은 그 자리에 주저앉았다. 그 모습에 나와 지애가 놀라며 돌아보았다. 나는 다시 지애를 쳐다봤다. 심장이 크게 요동쳤다.
"여보?"
그때 들려오는 목소리에 고개를 돌렸다. 최 과장의 아내였다. 다행히 멀쩡하게 서 있는 그녀를 올려다보았다. 최 과장도 그제야 자리에서 일어났다.
"괜찮아? 어디 봐!"
"네, 네?"
어느새 달려 나간 최 과장이 아내를 붙잡으며 물었다. 팔목에 붕대를 감은 아내가 어쩔 줄 몰라 하며 당황하고 있었다. 지애도 놀랐는지 두 눈을 깜빡거렸다. 나는 다급하게 최 과장을 붙들었다.
"아, 아.... 그, 그게 인혁 씨가 많이 놀랐 나봐. 그렇지? 장인혁 씨."
나는 아내를 등지며 최 과장의 팔을 움켜쥐며 힘을 주었다. 그제야 최 과장은 정신이 들었는지 나를 쳐다봤다. 그리고는 내 뒤에 있는 두 사람을 쳐다봤다. 최 과장은 고개를 숙였다.
"아. 그, 그게.... 죄송합니다. 죄송합니다. 저, 저도 모르게...."
"장인혁 씨가 우리 가족들이 사고를 당했다고 하니까.... 걱정을 많이 했어. 그래서 그랬나 봐. 많이 놀랐지? 여보. 지애야. 아. 우리 인혁 씨가 이렇게 날 좋아한다니까."
나는 지애와 아내에게 호탕한 웃음을 보이며 최 과장의 어깨를 툭 툭 쳤다. 최 과장은 나를 째려봤지만, 가볍게 무시해 주었다.

"아.... 그러셨구나. 걱정해 주셔서 감사해요."
"그럼.... 인혁 씨가 아빠를 대신해서 엄마를 걱정해 준 거였네."
지애는 내게 다가와 내 옆구리를 쿡쿡 찔러 댔다. 나는 아내를 쳐다보며 손사래 쳤다.
"아! 나, 나도 당연히 걱정했지. 그런데 인혁 씨가..."
"네? 제가 무슨 일 했나요?"
최 과장이 팔짱을 끼며 가늘게 눈을 떴다. 나는 휘둥그레진 눈으로 최 과장을 손가락질했다. 아내는 그런 나를 이상한 눈으로 쳐다보고 있었다. 최 과장은 장난기 어린 얼굴을 하며 웃고 있었다.
"아빠. 아직도 변명이야? 그러게. 평상시에 아빠가 얼마나 무심했으면.... 하아...."
"네 아빠가 좀 센스가 없어. 에휴...."
"최 과장님이 센스 없다는 건 회사 사람들도 다 알죠."
세 사람은 동시에 나를 보며 고개를 저었다. 몸이 바뀐 것도 억울한데 또 쓴소리를 듣는 것이 억울했다. 그리고 뭐가 저렇게 신이 났는지 모르겠다. 지금 자신을 깎아내리는 말을 아무렇지 않게 하는 최 과장이 얄미웠다.
"흠! 장인혁 씨. 자기 일이나 잘하고 내 센스에 대해 말하지 그래? 그동안 얼마나 사고를 쳤는지 잊어버렸어? 지금 뭘 잘했다고 합세해서 거드는 거야?"
나는 기세 좋게 최 과장을 저격했다. 물론 나를 깎아내리는 것 정도 몇 번 해봐서 잘할 수 있었다. 의기양양하듯 고개를 쳐들었다.
"와.... 아빠 치사하다."
"과장님?"
점점 이상해지는 분위기에 나는 어쩔 줄 몰라 했다. 최 과장도 재미 들였는지 슬픈 눈까지 하며 동정심을 유발했다. 과도한 설정에 머리가 어지러웠다. 이 상황을 어떻게 수습해야 하는지 가늠이 되지 않았다. 나는 아내를 돌아봤다.

"여보. 그, 그게...."
"에휴.... 그러게 평상시에 잘했으면 이런 놀림도 안 받으셨죠."
최 과장이 내게 다가오며 어깨를 눌렀다. 그러고는 자기 아내를 바라보며 이어 입을 움직였다.
"그래도 최 과장님. 이렇게 보여도 요즘은 일만 하지 않아요. 자기관리도 열심히 하시고.... 무엇보다 가족들과 함께 하지 못한 속죄를 갚으려고 노력하고 계세요.
갑작스러운 말에 최 과장의 아내가 두 눈을 깜빡거린다. 뒤에 있던 딸은 날 바라보며 엄지를 들어 보였다. 왠지 부끄러워 머리를 긁적여 보였다. 그런 아내는 내 눈을 피해 다시 최 과장을 쳐다봤다.
"설마요.... 이 사람은 평생 일밖에 모르는 사람이에요. 그런데 이 사람이 가족을 생각한다니.... 그 흔한 결혼기념일도...."
"후회 하고 계세요. 그 모든 일을...."
최 과장이 아내의 말을 끊는다. 아내는 고개를 들어 그를 바라봤다. 지금 그녀의 눈에 보이는 건 분명 나의 얼굴인 젊은 남자의 얼굴일 것이다. 그러나 그녀의 눈동자는 어딘지 익숙한 얼굴을 바라보는 듯했다. 몸을 흠칫 떨며 뒤로 주춤거리는 아내를 향해 최 과장이 말을 이었다.
"마지막까지 모든 것들이 엉망이 될까 봐. 달라진 모습으로 마주 보고 싶다고 해요. 그동안 미안했고, 딸 지애에게도 신경 쓰지 못 했다고.... 그래서 두 사람에게 변하는 모습을 보여주고 싶었고 진심으로 최선을 다해 가정에 충실하고 싶다. 라고.... 제게 그렇게 말했어요.
아내의 얼굴이 내게 향했다. 난 나의 얼굴에 숨어있는 최 과장을 바라봤다. 그가 내게 고갤 끄덕였다. 나 역시 고갤 끄덕이며 대답했다.
"맞아. 그랬었지. 미안해.... 인혁 씨가 말한대로 난 후회하고 있어. 그러니까...."

"당신 마음 충분히 알았어. 나도 당신이 언젠간 내 마음을 알고 변해 줄 거로 생각했어. 이혼 서류는 당신이 미워서 보낸 거 아니야. 그냥...."
나는 아내를 꼭 끌어안았다. 아내도 이내 내 어깨에 얼굴을 묻고 눈물을 흘렸다. 점점 뜨거워지는 어깨를 느끼며 마음도 점점 뜨거워졌다. 지애는 최 과장의 한 손을 붙잡으며 나와 아내가 있는 곳으로 다가왔다. 그렇게 우리 네 사람은 다 함께 끌어안았다. 지금, 이 순간 내 마음도 최 과장의 마음도 모두 행복함으로 가득했다. 나는 따뜻한 이 감정을 다시 한번 느끼고 싶었다.

***

아주 오랜 꿈을 꾼 듯했다. 나는 찌뿌둥한 몸을 펴며 기지개를 켰다. 아직 제대로 뜨지 못한 눈으로 창밖을 내다보았다. 날씨가 굉장히 맑고 청아했다. 몸을 돌리려던 찰나 창문에 비친 내 모습이 보이자, 눈을 비벼 댔다.
"응? 잘못 봤나?"
금세 사라진 내 모습에 나는 긴 하품을 하며 화장실로 향했다. 눈을 몇 번 깜빡거렸다. 분명 노안이라서 그런 거로 생각했다.
"아! 맞네? 뭐야! 잘못 본 게 아니었어!"
내가 다시 돌아온 것이다. 믿을 수가 없었다. 어리둥절한 표정으로 화장실을 나왔다. 그리고 익숙한 물건들이 보이기 시작했다. 나는 재빨리 다시 창문을 열어 주변을 확인했다. 이상한 일이었다.
"내가 왜 여기에 있지?"
한창 고민하고 있을 때였다. 누군가 계단을 오르는 소리가 들렸다.
"일어났나?"

"아, 아버지? 아버지가 왜 여기에?"
나는 한걸음에 다가가 물었다. 그런 내가 못마땅했는지 아버지는 곧장 내 머리를 쥐어박았다. 나는 고통에 머리를 움켜쥐며 주저앉았다.
"아파...."
"정신 차려! 어젯밤에 짐 가방 하나 달랑 들고 쳐들어올 때는 언제고. 도대체 술을 얼마나 마신 거야! 쯧쯧. 아직 술 냄새가 진동한다. 헛소리하지 말고. 정신 차리고 내려와!"
아버지는 고개를 내 저으며 계단을 내려갔다. 나는 아버지의 뒷모습을 보며 생각했다.
"그럼.... 뭐야? 그게 다 꿈이었다는 거야? 아니지.... 이렇게 생생한데.... 그래 휴대전화! 내 휴대전화 어디 있지?"
나는 방 안을 곳곳을 둘러봤다. 그리고 가방 위에 올려진 휴대전화가 보였다. 나는 잽싸게 휴대전화를 켰다. 그리고 한 통의 메시지와 함께 행복해 보이는 가족사진 한 장이 보였다.
'잘 지내고 있나? 속은 괜찮고? 아! 먼저. 우리 가족은 지금 하와이에 와 있어. 자네 덕분에 잘 해결되고 일어나보니 모든 것이 제자리로 돌아와 있어서 정말 깜짝 놀랬지 뭐야! 하하. 괜히 아내 얼굴을 몇 번이나 붙잡고 확인했는지 몰라. 귀찮게 한다며 한 소리 듣기는 했지만.... 하하하. 어쨌든 잘 해결됐으니 다행이지 싶어. 그동안 정말 고생 많았고 고마웠네. 그리고 그날 자네가 얘기한 것처럼 자네 아버지 와도 잘 해결됐으면 좋겠어. 그럼, 회사에서 보자고.'
기억났다. 너무 기쁜 나머지 코가 삐뚤어질 때까지 마셨다는 것을 까맣게 잊어버리고 있었다. 그리고 어떤 계기로 다시 돌아왔는지는 모르겠지만 어쨌든 다 잘 됐다니 다행이었다. 휴대전화 속 행복해 보이는 가족사진을 보며 나는 주먹을 꽉 쥐었다.
"그래! 나도 할 수 있다!"

나는 심장을 붙들고 심호흡을 크게 했다. 그리고 조심스럽게 계단을 내려왔다. 나의 인기척에 아버지는 나를 올려다보았다.
"아, 아버지?"
"속 안 좋을 텐데. 해장부터 해라."
아버지 목소리에 식탁 위에 다 차려진 밥상을 쳐다보았다. 나는 눈이 휘둥그레지며 조심스럽게 의자에 앉았다. 그러자 아버지는 내 국그릇을 가지고 일어섰다. 나는 다시 놀라며 아버지를 쳐다봤다. 아버지는 내 그릇에 있던 국을 그냥 두고 새로운 그릇을 꺼내 국을 담았다. 뜨거운 김이 올라오고 있었다. 나는 입술을 꾹 물었다.
"아버지...."
괜스레 눈물이 났다. 그런 나를 모르는 척 아버지는 숟가락을 들었다. 어떤 말도 필요 없는 훌륭한 맛이었다. 식사하는 내내 말이 오가진 않았지만, 아버지가 차려준 밥상에 크게 감동했다. 식사가 끝나자 다시 어색함이 맴돌았다. 함께 앉은 거실에는 어머니의 흔적이 여기저기 남아있었다. 오랜만에 보는 어머니의 사진을 잠시 들여다보았다.
"회사 그만둔 거냐?"
"네? 아, 아니요.... 휴가받았어요. 계속 쉬지 못해서 좀 쉬려고요. 저.... 저 때문에 많이 놀라셨죠? 갑자기 말도 없이 와서. 죄송해요...."
나는 괜스레 두 무릎을 만지작거렸다. 손에서 땀이 났다. 아버지의 얼굴을 제대로 쳐다보지 못하고 눈을 이리저리 굴렸다.
"아! 그,그게 괜히 아버지가 보고 싶어서.... 왔어요."
초조한 마음에 다시 한번 마음을 꺼냈다. 가만히 나를 바라보시는 아버지를 쳐다보았다. 역시 아버지와의 관계는 쉽게 이어지지 않는 걸까? 생각하던 찰나.
"그래. 잘 왔다."
"아버지...?"

무뚝뚝한 말투였지만 왠지 모르게 따뜻하게 느껴졌다. 나는 눈물을 훔쳤다. 아버지가 내 어깨를 붙잡았다.
"고생 많았다."
아버지의 한마디에 울음을 터트렸다. 어떤 말도 표현할 수 없는 감정들이 쏟아져 나왔다. 계속 포기했었다. 아버지와의 관계는 절대 회복할 수 없는 것이라고. 하지만 지금 내가 세상에서 가장 듣고 싶었던 한마디가 내 가슴을 쳤다.
"사내 녀석이 왜 이렇게 눈물이 많아."
"흐읍.... 아버지.... 저.... 진짜 아버지하고 잘 지내보려고.... 노력하려고.... 그게 그런데...."
내가 지금 무슨 말을 하는지 도통 모르겠다. 그런 나를 아버지는 힘껏 끌어안아 주었다. 그 품은 정말 따뜻하고 넓었다. 그리고 해맑게 웃고 계시는 어머니가 보였다. 나는 조용히 눈을 감았다.
"아버지가 좀 더 노력해보마."
아버지의 말에 나는 조용히 고개를 끄덕일 뿐이었다. 정말 행복했다. 지금, 이 순간을 잊지 말자고 다짐했다.
많은 일들이 있었다. 몸이 바뀌어 불편한 것도 있었고, 화가 나는 일도 있었다. 하지만 각자의 삶이 크게 다르지 않다는 것도 느꼈다. 그동안 내가 몰랐었던 타인의 마음을 알게 되었고 또 배웠다. 내 인생에서 이번 경험이 나를 더욱 성장하게 할 것이다.
언제나 함께 할 수 있는 가족이 있다는 것에 감사한다. 오늘을 평생 잊지 못할 것이다. 그날 밤 아주 행복한 꿈을 꾸었다. 아름다운 해변을 걷는 아버지와 어머니가 보였다. 그리고 그 옆에 아버지의 손을 잡고 있는 내가 있었다. 석양빛에 붉게 물든 우리 가족의 얼굴이 가장 아름답고 행복하게 빛났다.

작가의 말_허정애

글을 쓰는 내내 가족이라는 울타리가 없어 먼저 떠나보내야 했던 동생 생각이 많이 났습니다.
지켜주지 못한 마음이 컸고, 가족이라는 단어만 가진 채 외톨이었던 저 자신도 되돌아보게 되었습니다.
최근 많이 쟁점이 되는 남보다 못한 가족들이 많습니다.
'인생을 살면서 왜 저렇게 살지?'란 말을 자주 내뱉지만 정작 우리 가족에게 분노했던 것 같습니다. 그 이유는 저도 잘 모르겠습니다.
그냥 타인에게 화를 떠넘기면 제가 편해질 것 같은 기분이 들었습니다. 그래서 더욱 처음으로 쓰는 책이 저에게는 너무 무거운 주제를 다루는 것 같았습니다.
가족이라는 단어만 들어도 좋은 일은 떠오르지 않아 누구보다 고민을 많이 했습니다. 진지하고 무거운 이야기보단 조금은 유쾌하고 해피엔딩으로 마무리 짓고 싶었습니다.

누군가가 저에게 '가족이란 무엇인가?'를 물어본다면
아마도 고통과 아픔이 먼저 떠오를 것 같습니다.

여러분들은 '가족' 하면 어떤 단어가 떠오르시나요?
저처럼 '아픔과 고통' 이런 단어 말고 '행복과 기쁨'
그리고 다시는 찾아오지 않을 '소중한 추억'을 떠올려 보시길 바랍니다.

가족의 소중함과 간직해야 할 가치를 다시 한번 되새기기를 바라며....감사합니다.

미완의 지표

정다정

낯선 타지에서의 숙면은 생각보다 불편했다. 이른 아침부터 떠지는 눈을 다시 감으며 잠에 드려 애썼지만, 도통 잠에 들지 못했다. 결국 찌뿌둥한 몸을 일으켰다. 어느덧 나갈 준비를 마친 나는 빨간 카펫이 깔린 호텔 로비를 지나 산마르코 광장으로 향했다. 오전 8시. 벌써부터 북적거리는 사람들로 가득 찬 광장은 혼잡했다. 그렇게 광장 한 곳에 멍하니 서 있자, 자연스레 회상되는 지난날의 기억이 선명하게 나를 덮쳐왔다.

***

"대동맥판막 협착증입니다."
하얀 가운을 걸쳐 입은 의사의 첫마디였다. 처음 들어보는 생소한 진단.
"음.. 심각한 건가요?"
심장이 널뛰기하듯 빨라 불안감이 엄습해 왔다. 곧바로 자세를 고쳐 앉은 의사는 나를 한번 쓱 쳐다보더니 곧 입을 열었다.
"네. 지금 꽤 많이 진행된 상태네요."
어색한 공기 속 적막에 의해 숨이 턱 막혀왔다.
타닥- 타다닥- 탁
불규칙한 키보드 소리만이 공간을 메웠다. 아무런 말도 하지 않는 의사의 표정은 무심하기 그지없었다. 거북이처럼 느릿느릿한 의사의 태도는 답답함을 자아냈다.
끼익-
날카롭게 귀를 때리는 의자 소리가 긴장을 고조시켰다. 꽤나 자극적인 소리였기에 자동적으로 몸을 흠칫 떨었다. 곧 나를 향해 돌아앉은 의사는 연신 헛기침을 해댔다.
"흠흠..! 큼."
내가 볼 수 있게끔 모니터를 돌린 의사는 볼펜을 집어 들었다. 그러고선 모니터 한쪽 부분을 볼펜 촉으로 툭툭 쳤다.
"여기, 보이시죠?"
의사는 심장 한쪽 부근을 가리키며 말을 이었다.
"지금 이.. 부분이 지금 제대로 안 닫히고 있어요."
나는 이해했다는 듯 고개를 위아래로 두어 번 끄덕였다.
"이 정도면 일상생활에 지장이 있었을 텐데.."
속사포를 남발하듯 빠르게 설명하는 의사의 말은 영 이해하기 어려웠다.
'대동맥판막 협착증'
승모판막이 좌심실에서 대동맥으로 피가 유출되는 부위에 있는 판막인 대동맥판막이 좌심실이 수축할 때 잘 열리지 않는 질환을 말한다고 한다.
"음.. 잘 이해가 안 되는데요.."
내 말에 답답하다는 듯 의사의 인상이 구겨졌다. 한차례 머리를 벅벅 긁어대며 그는 다시 입을 열었다.

"하아.. 그러니까 간략하게 설명을 해 드리자면 환자분 심장에 있는 문이 잘 열리지 않아서 발병하는 병이라는 겁니다."
귀찮다는 듯 한숨을 푹푹 내쉬는 모습에 불쾌감이 일었다. 자연스레 찌푸려지는 미간을 바로잡으려 힘을 주었지만 께름칙한 기분은 좀처럼 가라앉질 못했다. 올라오는 불편함을 꾸역꾸역 억누르려 입술을 잘근잘근 깨물다가, 가까스로 입을 열었다.
"그럼 저, 죽나요?"
"아뇨. 현재로선 수술이 가능할 정도긴 합니다만.."
다급하게 눈을 회피하는 의사의 모습은 [믿음직하다]라는 말과 동떨어져 보였다.
"성공 확률이 그리 높진 않아요. 그래도 충분히 시도해 볼만합니다."
다급하게 안경을 고쳐 쓰며 우왕좌왕 말하는 의사의 모습은 부산스러웠다. 이로 인한 의사의 신뢰감은 더욱더 바닥을 쳤다.
'수술.'
마음속 한 구석에 있는 빨간 버튼이 강제적으로 눌러졌다. 지긋지긋한 과거를 떠올리게 하는 수술이란 단어로 머리가 지끈거려 왔다. 나를 낳다가 의료사고로 돌아가셨다는 얼굴 한번 보지 못한 엄마, 그리고 폐암으로 인해 수술 도중 사망하신 아빠가 원인이라면 원인이었다. 생생하게 회상되는 지난날들에 의해 몸이 돌처럼 무겁게 느껴졌다.
"후우.."
턱 끝까지 차오른 숨을 쏟아냈다. 그럼에도 진정되지 않는지 양손은 땀으로 축축해져만 갔다. 나는 오른손으로 다른 한 손을 짓누르듯이 부여잡으며 입을 열었다.
"혹시.. 수술을 받지 않는다면, 얼마나 살 수 있을까요?"
불안정하게 떨리는 목소리는 스스로도 느껴질 정도였다. 유난히 확장된 의사의 동공이 눈에 띄었다.

"장담할 순 없습니다. 현재로선 6개월 정도.. 송희서 환자분, 그래도 수술하시면 더 살 수도 있어요.. 아직 손 쓸 수는 있을 정도니까.."
"아뇨. 저 수술 안 받겠습니다."
의사의 말을 끊고 단호함을 실어 말했다. 다행히도 이번에는 목소리가 떨리진 않았다.
"음.. 그래도 마음 바뀌시면 오세요. 일정 보고 수술 날짜 바로 잡아드릴게요."

***

아직까지도 느껴지지 않는 현실감에 허망함을 느낄 때였다.
툭-
"윽..!"
누군가가 내 어깨를 세게 밀치며 지나갔다. 뒤를 돌아보자 사과도 하지 않은 채 뛰어가는 소년이 보였다.
"뭐지? 어..?"
재킷에 손을 넣자 온데간데없이 사라져 있는 핸드폰에 당황스러웠다. 알싸한 충격에 멍하니 벙쪄 있는 와중이었다.
"이거 놔!"
어느덧 소란스러워진 주변에 의해 정신이 번뜩 뜨였다. 이내 이탈리아어를 사용하는 어린아이의 목소리가 길 한복판에서 쩌렁쩌렁하게 울려 퍼졌다. 곧이어 한 남자가 목소리의 주인공인 소년의 목덜미를 붙잡고 있는 광경이 시야에 들어왔다. 그러더니 다짜고짜 내 앞으로 소년을 끌고 온 그가 말문을 뗐다.
"핸드폰 돌려드려."

모국어처럼 유창하게 이탈리아어를 사용하는 남자는 동양과 서양의 미가 한데 조화롭게 어우러져 있었다. 뚜렷한 이목구비와 깔끔한 옷차림, 큰 키와 넓은 어깨는 남자의 세련미를 한층 더해주었다. 그야말로 무척 수려한 외모를 지녔다는 것이다.
"뭣, 뭐를..! 나는 모르는 일이야..!"
"시치미 떼지 말고. 경찰에 넘기기 전에 빨리 돌려드려."
"안 훔쳤어!"
"네가 훔친 거 다 봤어. 줄 때까지 안 놔줄 거야."
쭈뼛쭈뼛 눈치를 보던 소년은 질린다는 표정을 한 채로 자신의 품속으로 손을 집어넣었다. 곧 소년의 속주머니에선 익숙한 물건이 나왔다.
"어? 내 핸드폰!"
"쳇, 여기."
곧장 핸드폰을 돌려받은 나는 남자를 바라보며 말을 이었다,
"도와주셔서 감사합니다."
이탈리아어를 알아듣긴 하지만 구사하진 못하는 탓에 영어를 사용했다. 하지만 들려오는 언어는 이탈리아어도 영어도 아니었다.
"아니에요. 한국인, 이세요?"
혼혈 일거라곤 예상했지만, 한국계였다니.. 예상 밖이었다.
"헛..! 네. 한국인 이셨어요?"
"하하. 네."
살짝 올라간 입꼬리로 미소를 짓는 그의 표정은 에메랄드빛 바다보다 청량했다. 그 와중에 아직까지도 자신을 놓아주지 않는 그를 불만스레 쳐다보는 소년이 입을 열었다.
"이제 됐지? 빨리 이것 좀..!"
"사과드려야지. 할 때까지 안 놓아줄 거야."
남자의 말에 소년은 분개한 듯했다. 하지만 자신이 처한 상황에 곧 꼬리를 말아 내렸다.

"죄송, 죄송합니다..! 됐지?"
"제대로, 다시 사과드려."
동생이 있다면 이런 느낌이려나? 볼을 한껏 부풀린 소년의 표정이 있지도 않은 철부지 동생처럼 느껴졌다. 옥신각신 다투는 듯한 남자와 소년의 모습은 마치 형제 같기도 했다.
"괜찮아요. 그나저나.."
나는 냅다 소년의 볼을 꼬집었다. 깜짝 놀란 듯 토끼눈을 뜬 소년의 얼굴이 홍시처럼 붉게 물들어갔다.
"요 녀석. 다음부턴 이런 짓 하면 안 돼."
영어를 잘 모르는지 고개를 갸우뚱거리는 소년에게 남자는 통역을 해 주기 시작했다.
"다음부터는 이러지 말라고 하셨어."
내 말을 번역하여 빠르게 전달해 주는 남자의 말을 듣자, 소년은 고개를 끄덕이며 입을 뗐다.
".. 감사합니다.."
상황은 빠르게 종결되었다. 덩그러니 남은 남자를 쳐다보자 곧 눈이 마주쳤다. 그는 입꼬리를 살짝 올려 웃어 보이더니 나를 보며 물었다.
"베네치아는 처음이세요?"
"네.."
"그럼, 저랑 식사 한 끼 어떠세요? 근처에 현지인들 사이에서 유명한 맛집이 있거든요."
"네?"
"아, 부담스러웠나요..? 여기서 한국인을 만난 게 기뻐서 그만.."
빨개진 귓가를 어루만지며 민망해하는 그의 모습이 괜히 나까지 쑥스럽게 만들었다.
"푸흐. 아뇨, 좋아요."
"남예찬. 제 이름이에요."

"송희서에요."
예찬의 말대로 식당은 멀지 않은 곳에 위치해 있었다. 대략 도보 기준으로 10분 정도였다. 가는 도중 화려한 바이올린 소리가 길거리에 울려 퍼졌다.
"우와! 버스킹이네요."
".. 네. 보고 갈래요?"
찰나였지만 뚜렷하게 보였다. 공허해 보이는 듯 가라앉은 그의 표정에 의구심이 들 때였다.
끼익-
바이올린의 소리가 멈췄다. 빠른 걸음으로 이쪽을 향해 다가오는 형체가 보였다. 그의 정체는 버스킹을 하던 연주가였다.
"바이올리니스트 남예찬 씨 맞죠?"
영국 특유의 악센트가 묻어 나오는 발음. 음악가의 물음에 아무런 말도 하지 못하고 경직되어 있는 예찬의 모습에 심상치 않음을 느꼈다.
"팬이에요! 재작년에 하셨던 리사이틀에도 갔었습니다! 진짜 근사한 연주였죠! 시간 되시면 연주 한 번만 부탁드려도 될까요?"
마치 패닉 상태에 빠진 사람처럼 무언가를 두려워하는 듯한 표정인 것 같기도 했다.
'뭐지..?'
"아뇨."
차갑고 단호한 거절이었다. 그의 대답에 연주가 또한 당황한 듯 주춤거렸다.
"일정 때문에, 이만."
발걸음을 재촉하는 남자의 뒷모습을 바라보았다. 저렇게까지 냉소적으로 굴 필요가 있을까 싶었다. 따로 이유가 있는 건가? 슬그머니 올라오는 호기심을 잠재우며 그를 뒤따라 걸음을 재촉했다.

***

"지금 무슨 생각해요?"
깨끗하게 비워진 접시 위에 포크를 내려놓으며 물었다.
"네? 아..."
".. 말하기 싫으면 안 하셔도 돼요. 그냥, 거리의 연주자들을 마주친 뒤로 표정이 좋지 않아 보여서요"
".. 예리하시네요."
예찬이 느리게 입을 열었다.
"저도 그와 같은 바이올리니스트였어요."
"진짜요? 그런데 왜..?"
연주자에게 냉소적으로 굴던 그를 떠올리며 되물었다.
"제가 좋아했던 친구 녀석이 하나 있었는데.."
그의 얼굴엔 씁쓸함이 묻어났다. 나는 의자를 끌어당기며 그와의 거리를 좁혔다. 가까워진 거리감 탓일까? 예찬은 이내 당황한 표정으로 나를 쳐다봤다. 곧 호선을 그리며 올라간 한쪽 입꼬리가 부드럽게 휘어졌다. 허탈하다는 듯 미소를 짓는 그는 시선을 내리깔고선 말을 이었다.
"하.. 웃기네요."
"네?"
"이런 이야기 누구한테 말해본 적 한 번도 없었는데.."
"그럴 수 있죠. 이왕 꺼낸 김에 한 번 말해보는 건 어때요?"
"아뇨. 천천히.. 시간은 많으니까요. 일어날까요?"
계산표를 든 예찬이 먼저 자리에서 일어났다.
"오늘 날씨가 되게 좋네요. 근처 좀 걸을래요?"
다시 내게서 몸을 돌리는 그의 넓은 등을 바라봤다. 분명히 친구라고 했다. 외국의 거리 연주자도 알아볼 정도로 유명한 바이올리니스트인 그가 자신의 친구랑 무슨 일이 있었던 걸까? 우리는 골목 곳곳을 돌아다니며 산책을 하기 시작했다. 새들이 지저귀는 소리가 무척이나 안온했다. 평일 오후의 조용하고 평화로운 산책로엔 황금빛의 햇살이 감돌았다.

"어! 젤라토네요! 맛있겠다.."

"몇 개, 살래요?"

"네!"

나는 재빠르게 젤라토 가게로 향했다. 다양한 맛이 나열된 메뉴판을 신중하게 들여다봤다. 하지만 무슨 맛을 골라야 할지 고민만 하며 정작 고르진 못했다.

"혹시 제일 맛있는 메뉴로 추천해 줄 수 있어요?"

"음.. 개인적으로 티라미수&요거트맛 피스타치오&말차맛이 제일 맛있더라고요."

"아. 그럼 저는 이걸로 할게요!"

나는 손가락으로 메뉴판을 짚으며 티라미수&요거트맛을 가리켰다.

"티마리수&요거트맛 하나랑, 피스타치오&말차맛 하나 주세요."

예찬이 주문한 지 얼마 지나지 않아, 젤라토가 나왔다. 먹음직스러운 젤라토를 받자마자 크게 한 수저를 떠먹었다.

"와. 엄청 맛있네요."

"하하. 다행이네요."

나는 내 손에 쥐어진 젤라토를 몇 번 떠먹다가, 곧 눈에 들어온 예찬의 젤라토를 쳐다봤다.

'무슨 맛일까?'

"한입 먹어볼래요?"

그는 내 의도를 눈치챈 것 마냥 물어왔다.

"그래도 돼요?"

예찬은 젤라토를 뜬 스푼을 내게 들이밀며 물어왔다. 나는 곧바로 그가 떠 준 젤라토를 덥석 받아먹었다. 내 행동에 잠시 놀란 듯한 예찬의 얼빠진 표정이 보였다.
“우와! 이 맛도 엄청 맛있네요!”
“하하. 희서씨는.. 정말 놀랍네요..”
뭐가 놀랍다는 걸까?
“조금 더 먹을래요?”
곧바로 젤라토를 떠 내게 제안하는 그의 말에 고개를 끄덕거렸다. 그렇게 두 어번을 더 받아먹은 뒤 남은 젤라토를 음미하며 거리를 거닐 때였다. 유독 고풍스럽게 지어진 건축물이 눈에 띄었다. 사진으로 봤던 것 같은 익숙한 느낌의 건물을 바라보며 곰곰이 기억을 더듬어 보았다. 티켓을 구매하는 몇몇의 사람들과 전시된 악보와 첼로가 보였다.
“아! 여기가 그 유명한 음악 박물관 인가 봐요..!”
또다시 어두워진 예찬의 표정이 눈에 보였다.
‘아차..! 실수한 건가?’
바이올린이 아니더라도, 그와 관련된 음악에 대해 예민하게 반응하는 예찬의 모습에 호기심이 더욱 증폭됐다. 그에 오만가지 상상이 들려오던 때였다. 그가 먼저 말문을 뗐다.
“식당에서 말했었죠? 친했던 친구 한 명이 있었다고..”
나는 말없이 위아래로 고개를 끄덕였다.
“여기 음악 박물관, 그 친구가 되게 와보고 싶어 했었거든요.”
“아.. 지금은, 못 오시는 건가요?”
“.. 네. 그 친구가 여기에 오지 못하게 된 건 제 탓이에요.”
“왜요..?”
“그 친구는, 어렸을 때부터 친한 친구였어요.”
내가 원했던 답과는 상이한 대답이었지만, 잠자코 그가 하는 말에 집중했다. 유독 방금과는 다르게 걸음이 느려진 예찬을 따라 나 또한 한걸음, 한걸음 그에게 맞춰 찬찬히 발걸음을 뗐다.

"제게 음악의 즐거움을 알려준 친구이기도 하죠. 처음 바이올린을 알려준 애도 그 녀석이었어요."
나는 듣고 있으니 이어 말해보라는 둥 고개를 주억거렸다.
"무대에서 빛났던 그를 늘 동경했어요. 그리고 한 명의 친구로서는 더없이 소중했죠. 때때론 가족과는 나눌 수 없는 감정들을 나눌 수 있었던 유일한 존재이기도 했어요."
슬픔이 가득한 예찬의 눈동자가 잘게 흔들렸다.
"그랬었는데.. 반년 전쯤 세상을 떠났어요."
".. 왜...?"
"그건.."
살짝 벌어진 입술이 경직된 듯 움직이지 않았다. 자신 때문이라는 예찬의 말이 떠올랐다. 궁금했다. 대체 무슨 일이 있었길래, 자신의 탓이라는 걸까? 더 이상 말을 잇지 못하는 그와 함께 나 또한 아무것도 묻지 못했다. 가라앉은 분위기 속, 그의 마음을 대변하듯 빗방울이 떨어지기 시작했다.
툭- 투둑-
"어..?"
쏴아아-
삽시간에 굵어진 빗줄기는 곧 대차게 쏟아져 내렸다.
덥석-
나는 남예찬의 손을 잡고 외쳤다.
"뛰어요!!"
내 행동에 당황한 듯 한 예찬의 표정이 보였다. 내 속도에 따라 그도 함께 달리기 시작했다. 그렇게 겨우 찾은 처마 밑에서의 우리는 이미 홀딱 젖어있었다. 젖은 머리칼을 뒤로 쓸어 넘긴 예찬이 미소 지으며 말했다.
"하하. 어쩌죠.. 다 젖어버렸네요."
"그러게요. 다 젖어버렸네요."

나는 그에 말을 앵무새처럼 따라하듯 대꾸했다. 비에 젖어 무게감이 더해진 옷이 꽤나 무거웠다. 그와 동시에 물기가 뚝뚝 떨어지는 그의 옷가지가 보였다. 그의 소매를 잡으며 나는 물었다.
"여기 근처 호텔에 머물고 있는데.. 들렸다가요."
진짜 맹세코 이대로 보냈다간 감기라도 걸릴 것 같다는 생각에 한 말이었다.

***

"먼저 씻을래요?"
내 물음에 예찬은 수긍하며, 먼저 욕실로 향했다.
솨아아아아-
욕실 내부에서 들려오는 물소리가 생각을 어지럽혔다.
'무슨 생각을 하는 거야 송희서!'
두 손으로 머리를 감싸며 생각을 비우기 위해 다분히 노력했다.
덜컥-
얼마 가지 않아, 욕실문이 열리고 인기척이 들렸다.
"희서 씨?"
"…어, 네! 다 씻었어요?"
"네."
그의 대답에 나는 옷을 챙겨 욕실로 줄행랑을 쳤다. 샤워를 마치고 거울을 바라봤다. 퀭한 눈을 한 여자의 모습이 보였다. 핏기 없는 듯한 하얀 피부가 한층 더해져 병자처럼 보이기도 했다. 한없이 처량하게만 느껴지는 감정에 잠식될 때쯤이었다.
"윽..!"
심장 부근에서 죄여오는 듯한 통증이 느껴졌다.

'어떡하지, 약이..!'
핸드백 안에 넣어뒀던 것이 떠올랐다. 급하게 욕실문을 열어 핸드백을 찾아보았지만 소파에 올려둔 핸드백은 보이지 않았다.
"희서 씨..? 뭐 찾아요?"
목에 수건을 두른 채로 나를 바라보는 예찬이 시야에 잡혔다.
"아.. 핸, 핸드백 좀."
내 말에 몇 번 두리번거리던 예찬이 말했다.
"저기, 테이블 위에 있네요."
그의 말이 끝나기도 전에 나는 테이블로 향했다. 하지만 테이블에 다다르지 못한 채 다리의 힘이 빠져 그대로 중심을 잃고 쓰러지려던 찰나.
".. 괜찮아요!?"
내 몸을 지탱해 주며 놀란 듯 말하는 예찬이 보였다.
"핸드백이랑.. 물 좀.."
그는 빠르게 핸드백과 냉장고에서 물을 꺼내 들어 내게 가져다주었다. 겨우 정신을 붙잡고 약 봉투를 집어, 진통제 한 알을 삼켰다.
"고마워요.."
예찬을 말 없이 그저 고개를 저을 뿐이었다. 곧 약효가 도는지 어느 정도 진정이 됐을 때쯤이었다. 예찬이 내게 물었다.
"어디가, 아픈 거에요..?"
"아.. 뭐, 별거 아니에요. 그냥 종종 이럴 때가 있는데 약 먹으면 금방 괜찮아져요."
아픈 건 싫었다. 하지만 아픈 것보다, 그에게 동정받고 싶지도, 나의 짐을 덜고 싶지도 않았다. 그렇기에 나는 거짓말을 해 버렸다.
"병원은, 가봤어요?"
"네. 근데 딱히.. 이상 있는 건 아니라고 하더라고요."
"아, 그렇다면 다행이네요."
그에게 거짓말을 하는 이 상황이 썩 내키지 않았다. 조금씩 밀려오는 죄책감에 고개를 숙여 우물쭈물하고 있을 때였다.
띠리리링-
요란하게 울려대는 전화벨 소리가 적막을 깼다.
"잠시, 전화 좀 받을게요."
"네."
"여보세요."
그의 대답에 수화기 너머에 소리가 어슴푸레 들려왔다.
".. 에서 너를 만나고 싶다고.."
"아뇨. 죄송해요. 제가 지금 해외기도 해서요. 네."
".. 어떻게 안될까?"
"저 못하는 거 아시잖아요.. 일단, 네. 알겠습니다."
곧 통화가 끝났는지 그는 휴대폰을 내려놓았다. 무슨 전화이길래, 저렇게까지 난감해하는 걸까? 또 쓸데없는 호기심이 일었다. 하지만 이번엔 내가 물어보기도 전에 예찬이 입을 뗐다.
"희서 씨 죄송해요. 제가 지금 급히 가봐야 할 일이 생겨서요.."
"아, 얼른 가보세요! 오히려 오늘 정말 감사해요. 덕분에 구경 재밌게 했어요."
소파에서 일어나 그를 배웅하려 하자, 그가 나를 제지했다. 곧장 다시 소파에 누워진 나는 멀뚱히 그를 올려봤다.
"아직 누워계세요. 여기, 제 번호예요."
내게 포스트잇 하나를 쥐여주며 인사하는 예찬이었다.
"연락 기다릴게요."
".. 네."
내 대답을 듣고선 곧장 멀어지는 그가 보였다. 왠지 모르게 아쉽다는 감각만이 들었다. 나는 한참을 그의 전화번호가 적힌 종이를 만지작 거렸다.
'연락, 뭐라고 보내지?'
온갖 인사말을 핸드폰 화면에 적어 봤지만 생각보다 어려웠다. 몇 번을 쓰다 지우다 하며 고민한 끝에 적은 글은 2줄조차 채 되지 않았다. 가까스로 문자 보내기 버튼을 누른 뒤 그의 답장을 기대했다. 하지만 끝내 내가 잠들 때까지 핸드폰이 울린 일은 없었다.

***

아침에 일어나자마자 휴대폰을 확인했다. 아침 6시. 기대했던 문자는 와 있지 않았다. 괜히 애꿎은 핸드폰을 째려보다 침대를 벗어났다.
'할 것도 없겠다, 브런치나 먹으러 나갈까..'
준비를 마친 뒤, 호텔을 나왔다. 어제 소나기가 내려서인가? 생각보다 바람이 차가웠다. 스마트폰의 지도 앱을 켜 유명한 브런치 가게를 찾아가는 도중이었다. 낯설지 않은, 이제는 조금은 익숙한 넓은 등이 보였다. 남예찬이었다.
"아침부터 대체 뭘..?"
그는 바이올린을 한 손에 들고 그저 멍하니 서 있었다. 그 모습이 꽤나 위태롭게 다가왔다. 서늘한 아침공기를 느끼며 그의 행동을 잠자코 지켜보던 때였다. 물가 근처로 이동한 그는 자신의 바이올린을 난간 너머로 내뻤다.
'바이올린을 왜 난간 밖으로..? 설마..!'
연주자들에게 자신의 목숨보다 소중한 것이 악기였다. 어느덧 바이올린은 외줄 타기를 하듯 예찬의 손에 아슬아슬하게 들려져 있었다. 곧 강으로 떨어질 것만 같아, 나도 모르게 소리 내 그를 불렀다.
"예찬 씨!"
내 목소리에 놀란 것인지, 곧바로 그의 시선이 내게로 향했다. 흔들리는 동공 사이로 두려움이 비춰 보이는 건 착각이려나.
"희서 씨?"
나를 부름과 동시에 바이올린은 그의 손에서 멀어져 가기 시작했다. 바이올린이 강가로 낙하하는 그 상황만은 슬로 모션처럼 유독 느리게 재생되었다. 그렇게 떨어져 가는 바이올린을 나는 무작정 좇기 시작했다.
"잡았다..!"
바이올린을 무사히 쟁취하고 나서야 나는 내 몸이 허공에 붕 떠 있다는 것을 알았다.
"안돼..!"
예찬의 외침이 들렸다.
풍덩-
차가운 물살을 가르며 떨어진 나는 수면 아래로 점차 가라앉아 갔다. 하염없이 멀어져 가는 수면 위를 바라봤다.
'안돼.. 바이올린 전해줘야 하는데..!'
내 간절함이 전해지기라도 한 듯, 곧 따듯한 체온을 머금은 손길이 나를 위로 이끌었다.
"푸하..!"
막혔던 숨을 몰아쉬며 옆을 돌아보자, 홀딱 젖어있는 예찬이 보였다. 평탄한 육지로 올라오자마자 바이올린의 상태를 확인하기 위해 곧장 케이스를 열어젖혔다.
"다행이다! 멀쩡해요..!"
".. 지금 그게 문제가 아니잖아..! 왜, 그렇게 무모한 짓을 해요!?"
언성을 높이며 내게 다그치는 예찬의 말에 조금 놀라며 그를 돌아봤다. 다짜고짜 화를 내는 그가 이해되지 않았지만 나 또한 억울했다.
"지금 이게 누구 탓인데..!"
그의 말에 되려 나 또한 언성이 높아졌다.

"하, 그깟 바이올린이 뭐라고.."
탄식과 함께 허탈하게 웃어 보이며 말하는 그에 태도에 괜히 심술이 났다.
"왜 말을 그런 식으로 해요? 고맙다고 말하긴커녕 왜 화를 내는 건데요?"
한층 더 격해진 감정은 속을 어지럽히기만 했다. 덕분에 나 또한 고운 말이 나가지 않았다.
".. 전혀 고맙지 않아요! 고작 바이올린이 사람 목숨보다 중요해요!?"
예찬 또한 격해진 감정을 주체하지 못하는 듯 표정이 점점 일그러졌다. 두려움에 잠식되어 괴로워 보인 예찬이 보였다. 그에 의해 한껏 차올랐던 분노감은 온데간데없이 사라졌다. 나는 남예찬, 그를 알지 못한다. 특히나 바이올리니스트 남예찬에 대한건 더더욱 모른다. 그럼에도 한 가지 알 수 있었던 건..
"소중한, 바이올린이잖아요.. 연주가에겐 더없이 소중한 거잖아요.."
이 사실 하나만은 알 수 있었다. 모든 연주가에게 해당되는 사실은 아닐 거다. 하지만, 적어도 예찬의 표정에선 그가 바이올린을 소중하게 생각한다는 것을 알 수 있었다.
"..."
"사실, 그렇지 않잖아요. 연주.. 하고 싶잖아요."
괴롭다는 듯 예찬은 두 손으로 자신의 얼굴을 감쌌다. 곧이어 예찬이 힘겹게 입을 뗐다.
"아뇨, 전.."
손 틈 사이사이로 보이는 그의 동공이 파도처럼 요동쳤다.
"사실은 그 누구보다 연주하고 싶잖아요."
"하하.. 그래요. 맞아요. 다시 무대에 서고 싶어요. 다시.. 바이올린을 켜고 싶어요."
이내 자포자기라도 하듯 허탈하게 미소 짓는 그는 말을 이었다.

"근데, 그런데 제가 그래선 안 돼요. 제가 감히..! 그럴 수 없어요.."
무언가를 짓씹는 듯, 예찬의 목울대엔 푸른 핏줄이 섰다.
"왜요? 대체 무엇 때문에 연주할 수 없는데요?"
그에게 무슨 일이 있었기에 그토록 좋아하는 바이올린을 스스로 내쳐야 하는 걸까?
".. 전에 친한 친구가 반년 전.. 세상을 떠났다고 말했던 거.. 기억해요?"
"네."
".. 그날은 녀석의 생일이었어요."
나는 고개를 위아래로 자욱 거리며 그의 말에 온갖 신경을 집중했다.
"저는 평소에 녀석이 갖고 싶어 했던 바이올린을 생일선물로 선물했었죠.."
곧이어 그의 눈에 고여있던 눈물이 뺨을 타고 흘러내리기 시작했다. 물에 젖은 상태라 분간이 잘 안 될 법도 한데 왜인지 구분이 잘 됐다.
"제 선물을 보고서 녀석은 엄청 기뻐했어요. 하하, 얼마나 신이 난 건지, 친구 얼굴만 봐도 알겠더라고요."
그 당시를 회상하며 은은하게 미소 짓는 그의 표정은 진심으로 즐거워 보였다.
"선물을 녀석의 집에 두고, 저희는 간단하게 저녁과 술을 먹으러 나갔었어요."
곧 언제 그랬냐는 듯 예찬의 얼굴에 스몄던 미소는 온데간데없이 사라졌다.
"그렇게 늦게까지 생일을 즐기고 그의 집으로 향하는 길이었죠. 이상하리만큼 걸어가는 골목길에선 탄 냄새와, 연기가 자욱했어요."
잠시 멈춰있던 그의 눈물이 다시 흘러내리기 시작했다.

“녀석의 집에 가까워질수록 느껴지는 열기에 저희는 뛰기 시작했어요. 도착하자마자 보인 광경은 녀석의 집을 휩쓸고 있는 거센 불길뿐이었죠..”
그때부터 그의 몸이 거세게 떨리기 시작했다.
“저는 그때 녀석을 말렸어야 했어요. 그 녀석은 불길을 보자마자 집안으로 뛰어 들어갔어요.”
그의 이어지는 말에 나는 한탄했다.
“붙잡을 틈도 없었어요. 그렇게 몇 분이 흘렀는데도 나오지 않는 친구 녀석을 걱정하기 시작할 때쯤에서야 소방관들이 도착했어요. 상황을 설명하자 소방대원분 몇 분께서 진입을 시도하셨죠.”
“아..”
“다행히도 진입에 성공한 소방대원분께서 친구를 찾았다는 연락이 왔어요. 그렇게 안심하던 때 친구의 몸을 업고 나오시는 소방대원의 형체가 보이기 시작했죠.”
너무나도 괴로워 보이는 그의 얼굴은 한껏 일그러져 있어 안타까움을 자아냈다.
“저는 황급히 뛰어가 친구의 상태를 확인했죠. 하지만, 예상과는 다르게 이미 숨을 쉬지 않더군요..”
“...”
아무 말도 할 수가 없었다. 그의 감정에 공감한다고 해도, 온전한 그의 깊은 감정들을 감히 타인인 나는 다 헤아릴 수 없는 것을 알기에, 아무런 말도 할 수 없었다.
“근데, 그 친구가 들어간 이유가 뭐였는지 알아요?”
“..뭐였길래요..?”
“제가 선물했던 바이올린 때문이더라고요. 하.. 미련하게 소방대원에게 바이올린을 꼭 가지고 나가야 한다면서 부탁했다고 하더군요.”
허공을 바라보며 씁쓸하게 웃는 그는 지독히도 괴로워 보이기도,

친구를 그리워하는 것도 같았다.
"결국 마지막 순간까지 녀석의 등에는 바이올린이 들려져 있더라고요. 하하. 그 바보 같은 녀석은 세상을 떠났는데 이 바이올린만은 끔찍하게 멀쩡했어요."
눈물을 머금은 채 억지로 미소 짓는 그는 무척이나 괴로워 보였다.
"그렇게나 소중한 바이올린을.. 어떻게, 왜.. 버리려고 했어요?"
"소중..?"
예찬의 이마가 꿈틀거리며 한차례 더 일그러졌다.
"친구분이 남긴 하나밖에 없는 유품이잖아요. 예찬 씨가, 소중하게 다뤄줘야죠."
한 방울씩 떨어지는 그의 눈물이 그의 상처처럼 느껴졌다. 조심스레 손을 뻗어 그의 눈물을 닦으려던 찰나.
탁-
허공에서 내쳐진 손이 힘없이 떨어졌다. 명백한 거부였다.
"하하.. 하나도 소중하지 않아요. 제가 지금 어떤 심정인지 알아요? 그 바이올린 하나 때문에 미쳐버릴 거 같아요!"
"원래, 사람은 언젠간 죽어요..!"
"그 녀석에 대해 뭐 하나 알지 못하면서 희서 씨는 뭐가 그렇게 쉬워요?"
"절대 쉽게 생각한 건..!"
"뭘 안다고 그렇게 말하는 건데요? 희서 씨는! 모르잖아요. 내가 저 바이올린을 버리기까지 얼마나..!"
더 이상 말을 잇지 못하는 예찬은 마치 고요하게 비명을 내지르는 것 같았다.
"그래요. 예찬 씨의 감정을 고스란히 알 순 없겠죠. 그렇지만 유사한 감정은 저도 알아요..!"
"하.. 그래요. 알량하네요. 유사한 감정이라니"
비웃음 같기도 한 웃음에 괜히 더 화가 나는 것만 같았다.

"꼭 그렇게 말을 해야겠어요?"
"됐어요. 그만하죠."
곧 나를 등진 그의 넓은 어깨가 보였다.
"어디 가요?"
황급히 그의 소매를 붙잡으며 물었다. 하지만 그는 또다시 내 손을 내치며 말했다.
".. 더 이상의 대화는 의미가 없을 거 같네요. 고마웠어요."
"어디 가는 건데요!!"
그의 색소 옅은 눈동자가 나를 쳐다보는 일은 없었다. 이대로 끝인 건가? 정말로? 허탈함과 동시에 작아져만 가는 그의 뒷모습을 그저 허망하게 바라봤다.
"그래요! 그렇게 평생 그쪽 맘대로 생각하고 그렇게 살던가요!"
예찬의 모습은 더 이상 보이지 않았다. 아무것도 남지 않은 이곳은 한겨울처럼 차가웠다.

***

딸랑-
문이 열리자, 악기를 든 남성 한 명이 가게로 들어왔다.
"어서 오세요."
남자는 내 인사에 짧게 묵례를 했다. 곧 그는 바테이블에 앉더니 주문을 했다.
"드라이 마티니로 한잔 부탁드립니다."
정중하고 예의 바르게 주문한 남성의 얼굴에는 어둠이 드리워져 있었다.
"드라이 마티니 한잔 나왔습니다."
남자의 앞에 잔을 놓자, 가게 내부를 두리번거리던 그가 물었다.

"손님이, 저 혼자인가요?"
"네. 그렇네요. 오늘은 오픈이 늦어서요."
"그렇군요."
"그렇죠."
그렇게 대화를 마치나 싶었으나 남자는 다시 입을 열었다.
"잊고 싶은 일이 있을 때.. 잊지 못한다면 어떻게 해야 할까요."
상념에 잠긴 채로 내게 질문한 청년을 바라보며 말했다.
"잊지 못하면 추억으로써 안고 가야죠."
"그게 괴롭다고 할지라도요?"
"시간이 갈수록 감정은 무뎌지기 마련이죠. 지금 당장은 괴로울지라도 미래의 당신에겐 소중했고 그리운 추억의 한 장면으로 남겠죠."
남자는 이내 한쪽 입꼬리를 비뚜름하게 올리며 웃어 보였다.
"누군가가 그리울 땐 어떻게 해야 하죠."
"사람에 대한 기억 또한 추억이죠. 그 사람과의 관계, 함께했던 장소, 주고받았던 말들.."
말없이 고개를 떨군 남자를 보며 나는 말을 이었다.
"오늘이 제 아내의 기일이었죠."
".. 그랬군요."
"저 또한 아직까지도 그녀를 생각하면 슬프기도, 그립기도 하죠. 하지만 그럼에도 그녀와 함께 행복했던 순간을 추억할 때면 저도 모르게 미소 짓고 있는 제 모습이 보이더군요."
"하하. 제게도 그런 날이 오긴 할까요?"
"그럼요. 사람은 누구나 죽죠. 그렇기에 남겨진 사람들 또한 무수히 많죠. 하지만 남겨졌다고 해서 마냥 괴로워하기엔 우리에게 주어진 시간은 길지 않나요?"
"..."
"그렇기에 우리는 그들을 추억으로 남기고 기억하며, 새로운 인연을 만들죠. 그렇게 앞으로 나아갈 뿐이랍니다."
"추억으로 남기고 나아간다라.."
벌떡-
내 말이 끝나자마자 자리를 박차고 일어난 남자는 겉옷을 챙기며 말했다.
"어르신, 고맙습니다."
급하게 어디론가 향하는 듯한 남자의 얼굴엔 더 이상 짙은 어둠이 보이지 않았다.
-딸랑
이미 아무도 없는 테이블을 보며 나는 나직하게 웃으며 말했다.
"안녕히 가세요."

***

가게를 나와 무작정 달리고 또 달렸다. 그녀에게 사과해야만 했다. 나를 위로해 주고 온전히 받아주려던 그녀에게 가서 말해야 한다.
"헉, 허억."
숨이 턱 끝까지 차 올랐지만, 발을 멈추진 않았다. 어느새 내가 원했던 장소로 도착했다. 급하게 막혔던 숨을 몰아쉬며 위를 올려다 봤다. 큰 호텔의 전경이 눈동자를 가득 채웠다.
띵동 띵동-
그녀가 머무는 호텔 방은 1004호였다. 방 앞에 도착한 나는 침착하게 벨을 눌렀다.
띵동 띵동-
안에선 아무런 인기척조차 들리지 않았다.
"희서 씨!"

소리 내어 그녀를 불렀지만 기대했던 대답은 오지 않았다. 다시금 급해진 마음에 핸드폰을 켜 문자메시지 함을 들어갔다. 아직 저장되지 않은 번호 하나가 눈에 띄었다. 나는 곧장 통화 버튼을 눌렀다.
뚜우- 뚜우-
신호음이 갈 때마다 룸 안에서 희미하게 소리가 들려왔다. 그런 소리를 들으려 귀를 문 가까이 대고 소리에 집중했다.
띠리리리링- 띠리리리링-
전화 벨소리였다. 그녀가 이곳에 있다는 증거였다.
똑똑-
"희서 씨! 전화라도 받아줘요!"
하지만 여전히 아무런 인기척조차 들리지 않자 무언가가 잘못됐음을 느꼈다.
쾅쾅쾅- 콰앙-
"희서 씨!"
무슨 정신으로 호텔 안내데스크까지 뛰어가니 모르겠다. 사정을 설명하자, 호텔리어가 마스터키를 이용해 문을 열어주었다.
띠리리리링-
끊기지 않은 채 이어지고 있는 전화 탓에 여전히 그녀의 휴대폰은 시끄럽게 울리고 있었다. 욕실 쪽에서 들려오는 벨소리에 나는 그쪽으로 향했다.
똑똑똑-
"희서 씨?"
욕실에선 벨소리를 제외한 음성은 들려오지 않았다. 황급하게 문을 열어젖혔다. 쉽게 열리는 문에 튕겨나가듯 욕실로 들어가자마자 나는 소스라치게 놀랄 수밖에 없었다.
"희서 씨! 정신 좀 차려봐요! 희서 씨!"
내 뒤에 있던 호텔리어도 상황을 인지했는지 급하게 구급차를 불렀다. 욕실 벽에 기대어 정신을 잃은 상태인 그녀는 머리를 찧었는지 이마에 피까지 흐르고 있었다. 어느덧 도착한 구급차에 그녀를 실은 채 병원으로 향했다. 마치 내 마음속처럼 시끄럽게 울리는 사이렌 소리가 긴박감을 더하는 것만 같았다. 문득 허공에서 정처 없이 떠도는 그녀의 손이 보였다. 갈피를 잡지 못하고 떠도는 내 모습 같았다. 그런 그녀의 손을 조심스럽게 잡았다.
'아직.. 살아있어.'
금방이라도 꺼질 것처럼 위태로운 그녀의 맥박이 느껴졌다.
'나는 이번에도...!'
아무것도 할 수 없는 나 자신이 초라했다. 점점 더해져 가는 무력감 속에 목이 죄여오는 것만 같았다. 그렇게 나는 조금씩, 조금씩 불안감 속으로 잠식되어 갔다.

***

눈을 뜨자 낯선 천장이 보였다.
'여긴..?'
고개를 돌려 옆을 바라보자 보조의자에 앉은 채로 졸고 있는 예찬이 보였다.
'이게 대체..'
곧 몸을 일으킨 나는 손목에서 느껴지는 통증에 의해 눈을 찡그렸다. 손목에는 링거가 꽂혀있었다.
"깼어요..?"
내 인기척에 잠에서 깬 예찬의 목소리에 화들짝 놀라며 그를 바라봤다.
"네. 근데 이게 어떻게 된 일이죠..?"

“.. 희서 씨 쓰러졌었어요.”
“네?”
내가 실신을 했다는 사실이 믿기지 않았다. 간혹 실신을 일으킬 수 있다곤 했지만 여태까지는멀쩡하게 지내왔었기에 얼떨떨하기만 했다. 한동안 말이 없던 예찬이 입을 열며 적막을 깼다.
“.. 어제 일은.. 미안해요.”
뜬금없는 그의 사과가 당황스러웠다.
“뭐가.. 아. 괜찮아요.”
“절대, 그런 식으로 말하려던 게..”
“파핫, 진짜 괜찮아요. 예찬 씨 잘못 아니에요.”
그런 그를 위로해 주고 싶은 마음에 냅다 그를 끌어안았다. 내 행동의 놀랐는지 그의 몸이 흠칫 떨리는 것이 느껴졌다.
“예찬 씨 잘못 아니에요. 괜찮아요.”
곧 울분을 토하듯 그의 흐느낌이 귓가에 퍼졌다. 나는 가만히 그의 등을 토닥이며 작게 속삭였다.
“.. 예찬 씨가 행복해졌으면 해요.”
“.. 저도 제가 행복했으면 해요. 그런데, 이제는 방법을 모르겠네요.”
여전히 흐느끼며 말하는 그의 목소리엔 공허함이 느껴졌다.
“곧 답을 찾을 수 있을 거에요.”
“제가, 할 수 있을까요..?”
흐느낌을 멈춘 짙은 눈동자가 깊게 응시해 왔다.
“네. 당연하죠.”
“전, 예서씨에게 도움만 받네요.”
붉은 끼가 가시지 않은 예찬의 눈이 곧 반달 모양처럼 곱게 휘었다. 활짝 만개한 꽃처럼 웃어 보이는 그의 미소는 봄처럼 따스했다.
“저도 도움 받았는걸요?”

나 또한 화답하듯 미소 지어 보였다. 그러던 와중이었다. 사뭇 진지한 표정으로 물어오는 예찬의 질문은 직설적이었다.
“의사한테 들었어요.”
“네?”
“왜 숨겼어요?”
“뭐를..”
“전에 물어봤을 땐 아무것도 아니라면서요. 아픈 거, 아니라면서요...”
“아, 그게..”
난감함에 눈동자를 요리조리 굴리다 결국, 변명 아닌 변명을 하기 시작한 나였다.
“.. 예찬 씨에게 이런 무거운 짐을 나누고 싶진 않았어요.”
“짐이요..?”
의미심장한 표정을 한 채 잠자코 내 이야기를 기다리는 예찬에 나는 말을 이었다.
“사실.. 저는 고아예요. 엄마는.. 저를 낳다가 돌아가셔서 얼굴도 모르고, 아빠는.. 제가 초등학생 때 폐암으로 3개월 정도 앓으시다가 수술 도중 돌아가셨어요..”
그에게 말하면서도 겁이 났다. 나의 깊은 과거를 누군가에게 말해보는 것이 처음이라서 무서웠다.
“그래서.. 저는, 아픈 사람을 그저 지켜보기만 해야 한다는 게 얼마나 괴로운지, 남겨진 사람들이 얼마나 고통스러운지 잘 알아요..”
아무 말도 하지 않는 그의 반응에 내심 겁이 났다.
“솔직히, 이런 이야기 듣는 것만으로도 지치잖아요.. 제게 이런 병이 있는 걸 알면 예찬 씨는 저를 신경 쓰느라 바빴겠죠. 저는 그게 무척이나 싫었어요. 거짓말을 하고 싶진 않았어요.”
밀려오는 죄책감 고개가 절로 숙여졌다. 그 순간 따스한 온도가 느껴지는 두 손이 내 볼을 감싸왔다. 부드럽게 내 얼굴을 끌어당기며 눈을 맞춰오는 예찬의 표정은 마치 내게 괜찮다고 다독여 주는 듯했다.
"결국 그런 저를 키워주신 분은 할머니였어요.. 고등학생 때, 돌아가셨지만.."
한마디 한마디 내뱉는 말에선 적은 잔떨림이 느껴졌다.
"그래서.. 아픈 사람을 걱정하는 마음, 누군가를 잃는다는 슬픔을 모르지 않아요.."
곧 다물려 있던 예찬의 입에서 듣기 좋은 음이 흘러나왔다.
".. 혼자 오해하고 판단해서 미안해요."
걱정이 서린 그의 눈동자엔 과거의 아픔이 깃들어 있었다. 나는 그의 머리를 쓰다듬으며 말했다.
"괜찮아요. 예찬 씨 제가 항상.. 어디서든 응원할게요."
"희서 씨가 옆에서 지켜봐 줘요."
"... 네? 아.. 그건 미안해요."
"네?"
".. 6개월.. 앞으로 제가 살아갈 수 있는 기간이에요."
차갑게 얼어붙은 분위기가 목을 죄여오는 듯했다.
"수술은요? 수술이 불가능한 거에요..?"
초조한 듯 떨리는 예찬의 움직임이 맞잡은 손을 통해 전달됐다.
"불가능.. 하진 않아요.. 다만, 많이 힘든 수술이라고 하더라고요.."
"살아줘요. 제발, 살아가주면 안 돼요..?"
내게 삶을 포기하지 말아 달라고 애원하는 그의 붉어진 눈시울에 나까지 마음이 아파왔다.
".. 희서 씨 아직 포기하지, 말아줘요."
목이 메인 채 힘겹게 한마디를 내뱉는 그가 정작 당사자인 나보다 아파 보였다. 그 감정이 뭔지 알았지만 나 또한 도전이 두려웠기에 선뜻 수긍할 수가 없었다.
"..."

"무슨 말 좀 해봐요.. 네? 대답해 줘요..!"
그의 절박함이 느껴져서일까? 그의 말들은 내면의 가벼운 파동을 일으키기 충분했다. 깊숙한 내면의 무수한 감정들이 파도처럼 나를 덮쳤다. 죽고싶지 않았다. 사실은, 살고 싶었다. 살아가고 싶었다. 어느 순간 뺨을 타고 쉴 새 없이 흘러내리기 시작한 눈물은 멈출 줄 몰랐다.
"제가.. 살 수 있을까요?"
그는 맞잡고 있던 내 손을 자신의 뺨으로 가져다 대며 말했다.
"네. 희서 씨가, 저 좀 지켜봐 줘요."
처연하게 내려간 그의 긴 속눈썹이 파르르 떨렸다. 그 또한 나와 마찬가지로 떨고 있던 것이였다. 나머지 한 손으로 그의 손을 감쌌다. 따듯했다. 이사람과의 미래가 궁금해졌다.
".. 저희 함께 가요."
순간 이루 말할 수 없는 시원한 해방감이 밀려왔다. 나는 과거라는 틀에 얽매여, 나 자신을 포기해 버렸었다. 은연중 더 이상 살아갈 의미가 없다고 생각했지만 그런 내게 의미가 생겨버렸다. 새싹처럼 작디작았던 희망이라는 감정은 걷잡을 수 없이 커져 나를 [미래]라는 눈부신 곳으로 이끌기 시작했다. 이제는 말할 수 있다. 다시는 나 자신을, 나를 살아가게 해 준 이 사람을 포기하지 않으리라고.

작가의 말_정다정

저에게는 불치병이 있습니다. 말 그대로 불치병이라서, 현대의 의학으로도 고칠 수 없죠. 이러한 점으로 어렸을 때부터 잦은 입원과 더불어 많이 힘들었던 때가 있었습니다. 하지만 그러한 고통으로 인해 여러 생각들이 들었고, 그러한 생각들을 글로 표현해 보고 싶어 이러한 글을 쓰게 되었습니다. 스키마라는 심리학 용어를 아시나요? 사람들은 누구나 스키마를 지니고 있습니다.
이러한 스키마를 알아차리고 이겨내는 것은 무척이나 어려운 일이죠. 그렇지만 그러한 스키마를 알아차림으로써 사람은 변화할 수 있고, 발전할 수 있다고 저는 생각합니다. 그렇기에 이 책을 읽는 독자분들께서 자신의 스키마가 무엇인지, 그리고 그러한 스키마를 알아차림으로써 발전하는 삶을 살아가셨으면 합니다.
많은 독자님들께서 또한 트라우마라던지 스키마로 인해 무수한 난관들이 있었을 것입니다. 물론 제 글의 주인공처럼 누군가는 투병으로 힘든 시간을 이겨내고 있을 수도 있고, 누군가는 떠나간 사람을 그리워하며 힘들 시간을 버틸 수도 있겠죠. 이러한 큰 고난이 아니더라도 아주 작은 고민이라도 있을 것입니다. 그러한 고민들이 잘 풀리지 않고 힘든 상황들 또한 있을 것입니다. 이런 역경들을 헤쳐나갈 때의 복잡한 감정들에 공감할 수 있을 거라고 생각합니다.

이 글은 저 자신 또한 성장할 수 있게끔 만들어준 작품입니다. 독자분들께 제가 전하고자 하는 의도가 잘 전해졌으면 합니다. 감사합니다.

윤슬

이민희

"미쳤구나!"
순간, 격분해서 목소리가 커졌다. 평소에 남자친구 말이면 모든 수동적으로 다 받아들였다. 하지만 이번 일은 도저히 참을 수가 없었다. 쌍욕이라도 퍼부어 줄까 하다가 겨우 참아내, 이 정도에서 끝냈다.
"아씨~ 목소리 안 낮춰?"
그런데 남자친구 하준수는 적반하장으로 되레 짜증을 냈다. 돌이켜 다시 보니, 멸치처럼 빼짝 마른 데다가 야비하게 생겼다. 늦을 때가 진짜로 늦은 건가. 이 사태까지 와서야 눈에 낀 콩깍지가 벗겨졌다.
"콜록. 콜록"
낡고 허름한 폐공장에는 먼지가 가득했다. 공중에 날아다니는 회색빛 먼지가 연신 기침을 유발했다. 하필 이곳인가. 나와 준수는 등지어 앉은 채 손발이 꽁꽁 묶여 있다. 밧줄이 워낙 튼실해서 성인 남자가 힘을 가해도 쉽게 풀리 수가 없었다. 다행히도 입을 움직일 수 있게, 테이프는 붙여 놓지 않았다.
"그동안 내게 빌린 돈이 다 도박 빚이었어?"

"쌍! 어쩌라고!"
누나~하며 급전이 필요할 때마다 나오는 애교 부르는 입이 더러운 순간이다. 이제 와 말하는 건데. 고작 육 개월 차이로 나에게 누나라고 했던 녀석이다. 사랑할 때는 세상 달콤했다. 하지만 미처 몰랐다. 본색을 드러낸 준수는 상습 사기꾼이었다.
"너야말로 돌았냐?"
"뭐?!"
"그깟, 그 물건 찾으러 내 집을 뒤져?"
"그… 그깟?!" 나에게는 그깟 물건이 아니다. 건들지 말았어야 했던 내 자존심을 준수가 터트리고 말았다. 더는 나에게 참은 인은 없다.
"미친 건 너잖아!."
"이게 진짜, XXX~"
준수의 시작으로 우린 쌍욕이 주고받았다. 욕 배틀이라도 한 듯이 우린 서로에게 거침이 없었다. 이때, 갑자기 걸걸한 목소리가 튀어나와 단번에 상황을 종료시켰다.
"야!"
담배를 얼마나 태웠는지, 멀리서도 담배 찌꺼기 냄새가 저절로 인상을 찌푸리게 했다.
"조용하지 못해! 어디서 사랑싸움이야. 확!"
손등에 코뿔소 문신이 새겨진 남자는 준수를 납치해 온 조폭 무리다. 그 위협감에 순간, 눈물이 핑 돌았다.

***

10시간 전.

'고객이 전화를 받지 않아 삐 소리 후………' 통화 연결음 멘트가 끝나기도 전에, 준수에게 다시 전화를 걸었다. 아침부터 좁은 방을 빙빙 돌며, 독촉 전화인 것처럼 수십 통을 했다. 참다못해 단짝 친구인 루아가 한 마디 툭 던졌다.

"그만! 나까지 어지럽다."

"앗, 미안."

편안한 자세로 침대에 누워 있던 루아가 옆으로 몸을 돌리더니, 나를 한심하게 바라봤다.

"딱 견적 나오네. 그냥 먹고 튄 거야!"

"… 뭐?"

"한 달째 핸드폰 끄고 잠수타고 있잖아."

"아니, 준수는 그런 애가 아니야."

나는 부정했다. 아니 강력하게 부정할 수밖에 없었다. 여태껏 사귀었던 남자친구 중에 가장 친절하고 자상했다. 게다가 귀여운 애교도 가졌다. 우린 단 한 번도 말다툼한 적도 없었고, 주변 친구들에게서 부러움을 사는 커플이었다. 내게 이렇게 완벽한 남자가 한순간에 말 한마디도 없이 잠수를 탄다고? 루아가 입버릇처럼 말했던 설사, 잠수 이별이라도 한들 지금은 안 된다. 남자친구에게 집착해서 그런 거 아니다. 혹여 헤어지자고 이별을 고하면 담대히 받아줄 것이다. 식은 사랑에 나는 집착하지 않는다. 중요한 건 이것 때문이다. 가끔 준수는 내게서 돈을 빌려 가곤 했다. 처음에는 만원부터 시작해, 이번에는 오십 원만을 빌려 갔다. 순간, 나는 시무룩했다.

"나쁜 놈!"

루아가 쐐기를 박았다. 그러자 불안감이 더 커졌다. 왜 하필 이 무렵에 연락이 안 되는 걸까.

"안돼, 안 돼. 절대 안 돼!"
벽에 붙인 연예인 브로마이드에 저절로 시선이 갔다. 내 방에는 오년 전에 데뷔한 버추얼 아이돌 사진과 각종 굿즈로 가득하다.
사실 내가 심적으로 힘들 때가 있었다. 아는 이가 스스로 하늘로 떠나는 바람에, 아픈 이별을 하게 됐다. 나도 모르게 마음이 무너지자 늘 겨울비가 내렸다.
운명일까?! 그 아이를 닮은 버추얼 아이돌에 입덕하게 된 이후로, 기적처럼 내 인생이 바뀌었다. 제일 큰 변화는 슬픔에 괴로워했던 내가 웃음을 되찾게 되었다. 그 덕에 다시 정상 생활이 가능해졌다. 이제는 내 인생에 없어서 안 된 존재가 되었다.
'네모'
괴상한 이름이라고 아직도 헤이러들이 손가락질한다. 하지만 그 뜻을 누구보다 잘 알기에 내게는 세상에서 가장 예쁜 이름이다.
티켓 때문에 속상해하자, 루아가 입을 열었다.
"완전 꾼이네."
"꾼?"
"빌린 돈이 오십만 원인데, 십이만 원 한 티켓으로 갚겠다고 했다며!"
"나에게 콘서트는 오십만 원 그 이상이거든. 그 무엇과도 바꿀 수 없어."
"그러니까. 그 부분을 널 이용한 거지."
이유가 어쨌듯 간에 지금은 루아랑 말씨름할 시간이 없다. 당장 내일이 콘서트다. 문제는 티켓 수령주소가 준수 집으로 되어있다. 티켓을 소지해야 콘서트에 입장이 가능한데, 준수에게서 아직도 전달받지 못했다. 이젠, 가만히 기다릴 수만은 없다.
"준수 오피스텔로 가자. "
"어제도 허탕 쳤잖아. 그냥 포기해. "
외출준비를 마친 나를 루아가 강하게 말렸지만, 소용없다. 아무리

신이라 하더라도, 내 고집을 꺾을 생각 없다.

***

준수네 오피스텔 가는 내내 루아는 쫑알쫑알 잔소리해댔다.
"매일 출근 도장 찍는 건물 주인도, 한동안 그 녀석 모습을 못 봤다고 했잖아."
"그러니까, 내가 직접 가져와야지."
강한 의지를 내비치자, 루아는 걱정스러운 눈빛으로 바라봤다.
"진짜로 가져올 수 있어?
"어!"
그동안 비밀번호도 공유할 만큼 나는 준수 집에 자주 놀고 가곤 했다. 하지만 그가 잠적한 이후로는 혼자서 빈집에 들어서기가 두려웠다. 온기가 없는 공간은 등골이 오싹해서, 괜히 껄끄럽다.
그런데 오늘은 다르다. 어제까지만 해도 현관문 앞에서 서성거렸지만, 나는 거침없이 현관문 도어락부터 열었다. 우편함에도 없는 콘서트 티켓을 미리 준수가 챙겨서 집안에 뒀을 확률이 높다.
삐- 삐- 삐- 삐- 비밀번호를 재빨리 누렸다. 드르륵- 문이 열리는 소리와 함께 나는 집 안으로 들어갔다. 그런 내 모습이 당차 보였는지 루아가 의아해했다.
"누가 보면 여기 집주인 줄 알겠어."
"당당해야지. 빌린 내 돈을 대신한 티켓이잖아."
운동화를 벗고 들어서자, 일곱 평 된 집안이 한눈에 들어왔다. 준수 자신이 좋아하는 무채색으로 모던스럽게 한껏 꾸며졌다. 제법 고가에 소품들이 유난히 눈에 들어왔다. 건물주 말대로 그는 단 한 번도 집에 들어온 적이 없는 걸까. 수북이 쌓인 먼지가 제 주인의 손길을 기다리고 있는 듯했다. 다행히 루아가 곁에 있어 무서움을 느끼지 못했다.
"찾자, 콘서트 티켓!"
나는 용맹한 잔 다르크처럼 외쳤다. 작은 움직임에도 먼지가 공중에 날아다녔다. 재빨리 한쪽 팔로 코를 막으며 서랍장부터 거침없이 찾기 시작했다. 가만히 지켜보던 루아까지 합세해, 그가 뒀을 만한 공간을 다 뒤졌다. 얼마나 열심히 찾고 다녔는지 이마에 땀방울이 송골송골 맺힌 줄도 몰랐다. 그런데 없다. 진짜로 없다. 구석구석 다 뒤져봐도 코빼기도 보이지 않았다.
"말도 안 돼."
나는 낙심하며 곧바로 바닥에 주저앉았다. 도대체 어디로 갔단 말인가. 연락 두절인 준수의 행방보다, 이상하게 콘서트 티켓 행방이 더 간절했다.
"설마, 버렸나?"
쓰레기통을 확인하기 위해 자리에서 벌떡 일어났다. 그러자 루아가 끼어들며 말했다.
"쓰레기통에는 없어. 방금 내가 찾아봤어."
"없을 리가 없잖아. 준수가 분명 티켓 받았다고 했단 말이야."
퍽! 이때, 둔탁한 소리와 함께 누군가가 내 뒤통수를 내리쳤다. 곧바로 뜨거운 고통이 밀려오더니, 눈앞이 깜깜해졌다.

***

다시 현재. 폐공장에도 어둠이 내렸다.
장소마저 위협적으로 느껴졌다. 준수와 함께 붙잡혀 있지만, 그 녀석은 전혀 도움이 되지 않는다. 시간이 약이었을까. 차차 마음이 안

정되어갔다.
분위기상 조폭들은 준수와 나를 당장 해코지할 계획이 없어 보였다. 누군가의 지시를 기다린 듯했다. 나는 이들의 감시 속에, 목소리를 낮췄다.
"콘서트 티켓 어디에 뒀어?"
납치된 상황에도 티켓을 찾자, 진절머리가 났는지 준수는 턱짓으로 가리켰다. 나는 곧바로 시선을 따라갔다. 한쪽 구석에서 조폭 두세 명이 껄렁하게 서 있다. 그 앞엔 나무 장작으로 불을 피우고 있었다. 생각해 보니 아까부터 나무 탄 냄새가 진동했는데, 준수랑 말싸움하느냐 인지하지 못했다. 근데 이상했다. 조폭들 손에는 투박한 장작만 쥐어져 있을 뿐, 내 목숨과도 같은 티켓은 없다. 준수가 날 또, 속이려고 거짓말하는 건가 싶었다.
"너 버렸지? 솔직하게 말해."
그러자, 준수가 짜증을 냈다.
"동태 눈이야? 재킷 안 보여?"
"재킷에 뭐?"
"주머니 속에 뒀다고!"
준수가 한동안 자랑했던 C명품 블랙 재킷이다. 그땐 멋있다고 생각했는데, 저게 다 빚이라고 생각하니 한심해 보였다.
준수는 안절부절못했다.
"아, 씨. 불씨 튀면 안 되는데. 구멍 나면 완전히 끝장나잖아."
틱. 틱. 튀는 불길 앞에서 키가 큰 조폭이 재킷을 어깨에 걸치고 있었다. 명품을 단번에 알아채고 나름 멋을 내고 있었다. 내 시선은 오로지 주머니에만 집중했다.
하필 준수가 콘서트 티켓을 소지하고 있을 때 잡혔을까. 나도 모르게 갑자기 밀물처럼 서러움이 밀려왔다. 두 눈에 눈물이 차자, 준수가 어이없어하며 물었다.
"울어? 설마… 콘서트 못 갈까 봐, 우는 거 아니지?"

"내가 울든 말든, 상관하지 마."
비릿한 미소와 함께 준수는 비아냥거렸다.
"오 년 전처럼 또 한이 될까 봐, 그래?"
그렇다. 준수 말대로 나는 오래전부터 최애였던 삼인조 그룹 가수가 있었다. 그 시절에 새로 사귄 남자친구랑 주말 데이트 가는 바람에 콘서트를 못 갔다. 아니, 면밀히 따지면 안 갔다. 그땐, 다음 콘서트를 기약하며 가볍게 생각했다. 하지만 삼인조는 해체했고, 더는 그들의 콘서트를 못 보게 된 나는 평생 후회로 남았다.
"입 다물어라. 만약, 내일 공연장에 못 가면, 너 진짜 가만 안 둔다."
내 인생에 두 번 후회는 없다. 버추얼 아이돌 콘서트만은 반드시 꼭 갈 것이다.
밧줄로 묶인 채로, 두 눈동자만 굴리며 주변을 둘러봤다. 도망치기 위해서는 이곳 동선 파악이 필요했다. 이리저리 눈동자를 바삐 움직이자, 무심코 고개 돌린 준수가 물었다.
"너, 자꾸 두리번거려? 불안하게."
"들키고 싶지 않으면 조용히 해."
준수가 헛웃음을 쳤다.
"설마, 도망치려고?"
"그럼, 이대로 당하고만 있어?"
"미쳤구나. 저 녀석들이 누군지는 알아?"
"관심 없어. 나는 티켓만 찾아서 여길 빠져나갈 거야."
준수는 어림없다고 내 사기를 꺾으려 하지만, 나는 안다. 감시가 소홀해질 순간이 분명 올 것이다. 나는 그 틈을 노려, 도망칠 계획이다.

***

"야! 여기로 와봐."
생각보다 일찍 기회가 찾아왔다. 코뿔소 문신이 키 큰 조폭의 부름으로 자릴 뜬 바람에, 다행히 우린 잠시 감시망에서 벗어날 수 있었다. 시간이 없다. 우선 손발이 묶인 이 밧줄부터 끊어야 했다. 주변을 두리번거리자, 마침 등 뒤로 손바닥만 작은 유리 조각이 눈에 들어왔다.
"저기 있다."
옅게 뱉은 말에 준수가 반응을 보였다. 내 시선을 따라서 유리 조각에 고정했다.
"진짜로 미쳤네."
"여기서 죽기 싫으면, 망이라도 보던가."
몸을 조금씩 움직여 보지만, 손으로 유리 조각 잡기에 쉬운 일이 아니었다. 멀리서 코뿔소 문신이 자꾸 힐끔힐끔 쳐다보며, 주시하고 있었다. 들키지 않기 위해 움직이지 않은 척을 해야 했다.
끄응- 유리 조각을 향해 손가락을 뻗었다. 그러자 언제부터인지 몰라도, 망을 보던 준수가 자꾸 재촉했다.
"잡았어? 잡았냐?. 잡았지?"
"… 아… 아… 아직…"
"꾸물거리지 말고 빨리해."
"재촉 좀 하지 마."
안간힘을 다해 손가락을 쭉쭉 뻗었다. 유리 조각이 손가락 끝에서 잡힐 듯, 말 듯했다. 고무줄처럼 늘어났다면 얼마나 좋을까. 조그만, 더! 조그만… 손끝으로 유리 조각을 굴리듯이 가져왔다. 다행히 어느새 유리 조각이 잡힐 정도에 거리였다. 마지막으로 손을 뻗는 순간, 앗! 코뿔소 문신과 눈이 마주쳤다. 들킨 건가. 이대로 들키면 끝장인데! 다행히 그는 다시 시선을 돌렸다.

손가락 사이에서 붉은 피가 흘러나왔다.
"너 피!"
오히려 준수가 깜짝 놀랐다. 하지만 나는 대수롭지 않게 손에 쥔 유리 조각으로 밧줄을 끊기 시작했다. 이깟 피는 중요치 않았기에 쓱싹- 쓱싹- 열심히 밧줄을 끊어댔다.
"제발… 제발…"
손바닥은 이미 피로 범벅이 되었지만, 그렇다고 멈출 수가 없었다. 아픈 것도 모르고 오로지 속도를 올렸다.
툭! 드디어 밧줄이 끊어졌다. 그런데 내가 불쌍해 보였을까. 마치 하늘이 날 돕는 기분이 들었다. 갑자기 조폭 무리가 우르르 폐건물 밖으로 하나둘씩 빠져나가기 시작했다. 이런 우연이 있을까.
"형님이 위험하다. 가자!"
키 큰 조폭이 블랙 재킷을 의자에 걸쳐놓고 황급히 자리를 떴다. 이때다 싶어, 나는 발목에 묶인 밧줄까지 후다닥 풀었다. 그리고 자리에서 재빨리 일어나는데, 준수가 손목을 내밀었다.
"나도, 나도 풀어줘야지."
원수 같은 준수가 미치도록 밉지만, 더는 망설일 시간이 없었다.
"나머지는 네가 풀어."
그의 손목에 묶인 밧줄만 풀고, 곧바로 의자 쪽으로 달려갔다. 다다닥- 액션 영화 찍은 주인공처럼 바람을 날리며, 쐐악- 단번에 재킷을 낚아챘다. 그 순간, 저 멀리서 준수가 도망친 뒷모습이 보였다. 여자친구고 뭐고 없구나. 자기 혼자 살겠다고 뒷문으로 빠져나가는 모습이 무척 찌질해 보였다.
헉! 이때, 누군가 내 앞을 막아서는데, 경직과 동시에 몸이 굳어버렸다.
"……"
감시했던 코뿔소 문신이다.

***

젠장! 망했다. 도망치기도 전에 들키고 말았다. 내 행동을 예상이라고 했는지, 코뿔소 문신이 다짜고짜 내 머리끄덩이부터 거칠게 잡았다.
"이XX~ 어딜 도망가~!"
"악!"
발버둥 칠 시간도 없이 머리채 잡힌 그대로 질질 끌려갔다. 거친 그의 손끝에서 살기가 느껴졌다. 당장이라도 칼을 꺼낼 기세로 날 위협했다.
"가만 안 둬!"
"으~악~~ 으악!"
손에서 블랙 재킷만은 놓치지 않았다. 끌려가는 와중에도 오로지 티켓 생각뿐이었다. 무슨 용기인지, 코뿔소 문신의 시선을 피해서 재빨리 주머니에서 티켓을 꺼냈다. 그런데 그가 나를 무서운 표정으로 내려다봤다. 들킨 건가? 걱정된 마음에 입술이 바짝 말랐다.
"제대로 손 봐주지."
이때, 녹슨 사물함이 내 두 눈에 들어왔다. 설마… 아니겠지. 하지만 내 예감은 적중했다. 코뿔소 문신은 사물함을 향해 나를 물건 던지듯이 던졌다. 꿈인가? 정말 말도 안 되게 내 몸이 공중에 붕- 뜨면서 그대로 사물함으로 쏙 들어갔다. 이 순간만큼은 나 또한, 하잖는 물건인 줄 알았다. 끼익-하는 쇳소리가 머리카락이 삐쭉 섰다.
"안 돼~"
쾅!! 갇히는 순간, 잠시 정적이 흘렀다. 몸이 움직일 수 없을 만큼 공간은 협소했다. 후- 후- 점점 숨쉬기가 곤란하기 시작하는데. 순간, 뇌리로 기억 하나가 빠르게 스쳐 가고 눈썹이 바르르 떨렸다. 햇살이 쨍쨍하게 내리쬐는 어느 날이었다.
열두 살인 나는 삼인방에게 학교체육관 뒤 건물로 불려 갔다. 사실, 본인들 스스로 만든 미인 삼인방이라는 친구들이 있는데, 나는 오랫동안 그들에게서 괴롭힘을 당했다. 학교에서 내 존재는 그저 재밌는 장난감이었다. 이때, 긴 생머리인 혜지가 비릿한 미소로 나에게 따졌다.
"너, 왜 웃었어? 수업 시간에 내가 발표할 때 웃었잖아."
"… 안… 안 웃었는데."
손사래를 치며 부정했다. 하지만 삼인방 친구들은 이미 장난칠 시동을 걸었다. 내가 강하게 부정하면 할수록 이들의 비웃음이 점점 커졌다. 이때만 해도 나는 소심했다. 미련하게 착해서, 이들에게 맞서 싸울 용기가 없었다. 내가 할 수 있는 건, 눈물을 흘린 것밖에 없었다. 그래서 나는 울면서 간절히 부탁했다.
"나 학원 가봐야 해. 제발 보내줘. "
삼인방에게 둘러싸인 나는 소심하게 뿌리치며, 발걸음을 옮겼다. 이때, 악! 실수로 친구 운동화를 밟아버렸다. 운도 없지. 하필, 주동자인 혜지 운동화였다.
"아~ 짜증 나. 어제 산 새 신발인데! 이게 얼마짜리인 줄 알아?"
"미안. 미안해! 혜지야."
"안 되겠네. 너도 한번 당해봐."
단단히 화가 난 혜지는 친구 두 명에게 눈빛을 보냈다. 그러자 두 친구가 갑자기 확- 나를 밀어냈는데. 그대로 바닥에 넘어질 줄 알았다. 하지만 아니었다. 애초에 삼인방은 창고 안으로 날 가둘 계획이었다. 나는 순진하게 그 꾀에 속아, 창고 안에 갇혀버렸다. 철컹철컹- 밖에서 문이 잠긴 소리가 들렸다. 주먹으로 문을 세게 치며 외쳤다.
"혜지야, 내가 잘못했어. 제발~ 문 좀 열어 줘."

아무리 큰소리쳐도 내 목소리는 제자리에서만 메아리쳤다. 무서웠다. 어둠이 날 집어삼킬 것만 같았다. 처음 느껴본 공포감에, 사지가 바르르- 떨렸다. 그리고 내 목을 천천히 조른 기분에, 숨이 제대로 쉬어지지 않았다. 그렇게 나는 시들어가는 식물처럼 서서히 숨이 옅어져 갔다. 이때부터였다. 이 사건으로 인해 작은 공간에 갇히면 숨이 가빠진다. 후우- 후후- 후우! 두 번 다시 겪고 싶지 않았는데, 또 밀폐된 공간에 갇혀버렸다. 다시 찾아온 극심한 공포심에 나는 혼절했다.
"사…살려줘…사…살…"

***

내가 얼마나 기절한 상태로 있었는지, 전혀 가늠되지 않았다. 얼마나 기절하고 있었을까? 정신은 깨어나지 않았지만, 나의 뇌 속 작은 마을에는 궁금증만 증폭했다. 설마, 나 죽은 거 아니지? 이러면 엄청 억울한데! 신원 미상의 여성 시신이 한 달 만에 발견했다고 뉴스에 보도된다면, 반드시 나는 이승에 남을 것이다. 한을 품은 처녀 귀신이 되어, 준수의 지박령으로 분이 풀릴 때까지 괴롭힐 거야. 하지만 말만 셀 뿐. 막상 새드 엔딩으로 끝이 날까 봐, 너무 두렵고 무서웠다.
"… …"
이상하다. 숨소리도 들리지 않는 정적 속에 작은 속삭임이 들리기 시작했다. 내 머릿속에 개미라도 지나가는 소리라 생각하고, 그냥 아무렇지 않게 넘겼다.
"… 연… "
하지만 외부에서 나오는 소리였다. 어디선가 희미한 음성이 들려오는데, 마치 캄캄한 어둠을 밝혀준 은은한 노랑 빛 등불 같았다.
"연이야~ 연이야~"
부드러운 목소리로 누군가 내 이름을 부르고 있다. 뭐지, 뭐지? 처음에는 잘못 들었나 싶었다. 폐공장에 찾아올 자는 조폭들밖에 없는데, 더구나 내 이름을 아는 사람은 준수뿐이다. 단언컨대 녀석이 다시 돌아올 일은 전혀 없다고 본다. 그러면 이곳에 제삼의 인물이 있다는 말인가?
"연이야~"
이번에는 선명하게 들렸다. 너무나 따뜻한 음성이었다.
"연이야, 연이야~ 일어나!"
곧바로 조곤조곤한 목소리로 나를 깨우는데, 신기하게도 마법에 풀린 것처럼 두 눈이 떠졌다. 내가 죽는 게 아니었어. 다시 살았다는 생각에 정신이 번쩍 들었다. 여전히 이곳에 깔린 어둠은 깊었지만 괜찮다. 살아있는 것만이라도 희망스럽지 않은가. 이때, 불안할 틈도 없이 누군가 내 손을 지긋이 잡았다. 그 손길은 세상 어느 온기보다 참 따뜻하고 포근했다. 눈물이 핑- 돌았다. 지금, 나와 함께 갇힌 자가 바로 루아였다.
"이제 안심해도 돼. 내가 옆에 있으니, 무서워하지 마."
루아는 불안해하는 나를 안정시켰다.

***

루아까지 폐공장에 잡혀 올지 미처 생각지 못했다. 괜히 나와 엮여서 이런 수모를 당하다니, 미안하고 걱정이 앞섰다. 혹여 이곳에 끌려오다가 생채기가 난 것 아닌지, 마음이 여린 친구라 충격이라도 받으면 어떡하지? 창고로 잡힌 후로 내 코가 석 자다 보니, 잠시 루아에 존재를 잃고 있었다. 솔직히 나의 부주의로 인해 루아가 혹여 내게서 떠날까 봐 두려웠다. 괜한 쓸데없는 걱정이었을까? 오히려 루아는 애초에 떠날 생각이 없어 보인 듯, 내 안위부터 챙기기에 바빴다.
“연이 괜찮아? 아직도 숨쉬기 불편해?”
“.........”
“괜찮으니까, 천천히 날 따라 해봐… 후우~ 후우~
후- 후- 나는 루아가 시키는 대로 숨을 쉬어보지만, 여전히 목구멍에부터 답답함이 올라왔다. 나아질 기미가 보이지 않는지, 루아가 내 두 눈 위로 손을 올렸다. 나는 눈이 감긴 채로 기다렸다. 도대체 뭐 하려고 하는 걸까? 궁금증이 커지는 찰나, 나지막한 목소리로 루아가 말했다.
“칠 년 적 기억나?”
갑자기 칠 년 전이라니. 뜬금없는 루아의 말에 어리둥절했다. 옛 기억을 왜 다시 끄집어내는 걸까? 아무리 생각해도 예측 불가능이다.
이때, 휘-잉-
내 코끝에서 시원한 바람이 스쳤다.
바람? 처음에는 사물함 틈에 새어 나오는 바람인가 싶었는데, 점점 머리카락이 휘날릴 정도로 세기는 강해졌다. 나는 놀란 나머지 눈을 번쩍 떴다.
영화의 한 장면처럼 어둠은 사라지고, 눈이 부실 정도로 온통 환했다. 그저 눈앞에 펼친 광장에 꿈속 여행이라도 온 줄 알았다.
벚꽃 피는 사월. 눈송이처럼 만개한 벚꽃. 특유한 바다 냄새. 에메랄드빛 바다.
고개를 돌려보니, 활짝 미소 짓는 루아가 눈앞에 서 있었다.
“어때? 바다 여행 오길 잘했지?”
함께 온 몇 명 친구들 사이에서 나는 묵묵히 고개를 끄덕거렸다.

여행이라는 단어 자체가 설레게 하는 걸까. 루아의 들뜬 모습에 나까지 행복이 전해졌다. 바다를 배경 삼아 서 있는 루아를 바라보며 서로 별것 아닌 말로 깔깔깔 웃고, 모래 위에서 미니 게임도 했다. 폭풍 수다는 또 얼마나 떨었는지 시간 간 줄 몰랐다.
하늘에 주황빛이 점점 변해가는 무렵.
기타를 챙겨 온 루아가 팅- 팅- 기타 줄을 몇 번 튕기며 코드를 맞추더니, 곧바로 아름다운 선율을 선사했다. 달콤한 목소리까지 더하자, 천사도 반할만한 환상에 하모니가 하늘 높이 울렸다. 마음이 말랑해지고, 어느새 노을은 분홍빛으로 번졌다.
감미로운 노래가 끝나자, 루아 등 뒤로 반짝-반짝 바다가 빛났다. 마치 손뼉이라도 치고 있는 듯했다.
"윤슬~"
나지막한 목소리로 루아가 윤슬을 가리켰다. 밤하늘에 별들이 바다 위로 다 쏟아졌나. 눈이 부실 정도로 반짝임이었다. 너무 예뻐서 두 손을 포개어 내 입을 막았다.
한동안 우린 아무 말 없이 바다 위에 빛나는 윤슬을 멍하니 바라봤다. 처음이다. 마음이 이토록 편안할 수 있을까. 반면, 루아는 진지한 표정으로 말했다.
"기억해 줘. 저기 반짝이는 윤슬을~ … 나중에 힘든 날이 오면 무너지지 말고, 이 행복을 다시 꺼내 봐. 너와 함께한 아름다운 추억이잖아."
"응. 기억할게."
나는 목소리 작게 대답했다. 순간, 윤슬을 향해 손을 뻗는 루아의 손가락에 집중됐다. 왼손 검지 중간지점에 작은 점이 보이는데, 너무나 작은 점이라 자세히 들여다보지 않으면 점이 있다는 사실도 모른다. 행복해하는 루아 얼굴에도 윤슬이 번졌다.
그렇다. 이게 바로 칠 년 전에 기억. 나의 바다 여행이다.
순간, 턱! 하고 숨이 터졌다. 후읍- 후읍- 후읍- 공기를 재빨리 들이마셨다. 공기 마시다가 급체해도 상관없다. 여태 못 마셨던 공기까지 다 마실 테다. 정말로 살얼음보다 시원했다. 이제야 온몸에 피가 정상적으로 돌고, 뇌에도 산소가 들어가서 그런지 다시 정신이 번쩍 들었다.
"당장 여기서 나가야 해!"
나는 두 발로 사물함 문짝을 힘껏 찼다. 펑- 하고 문이 열리고, 때마침 자물쇠로 채우려 하는 코뿔소 문신이 한쪽 문짝에 그만, 이마에 세게 부딪혔다. 곧바로 바닥에 고꾸라지고 나는 그 틈으로 재빨리 사물함에서 탈출했다.

***

"나이스~"
바닥에 쓰러진 코뿔소 문신을 보며 루아가 통쾌해하자, 덩달아 나도 속이 시원했다. 다시 눈에 힘을 주며, 정신을 다잡았다. 잠시 기절한 코뿔소 문신이 깨어나기 전에, 이곳부터 빨리 빠져나가야 했다. 온 우주에 힘을 다 빌려서라도 목적지를 향한 육상 선수처럼 달렸다.
다다닥- 헉! 이때, 걸음을 멈추고 뒷걸음쳤다. 자리를 잠시 비웠던 몸짓이 왜소한 조폭이 폐공장에 다시 들어온 뭐람. 다행인지, 불행인지 모르겠지만, 단 한 명뿐이었다. 그 녀석과 눈이 마주친 나도 마찬가지도 당혹스럽다. 어떻게 하지? 이곳을 어떻게 빠져나가지? 하는 순간, 루아가 다급하게 말했다.
"그거 해. 우리 매일 했던 것 있잖아."
아! 맞아. 머릿속에 바다 여행 때가 생각났다. 잘 정돈된 모래밭에서 루아가 새로운 취미가 있다고 자랑했다. 그때만 해도 진짜 뜬금

없었다. 그 동작에 따라 해보라는데, 솔직히 따라 하기 싫어서 하는 척했기도 했다. 그런데 사람 마음 참으로 간사해. 그 후로, 루아의 취미에 내가 재미 붙여 칠 년 동안 계속 이어가고 있었다. 이런 일을 예측이라도 했을까? 오늘 이렇게 쓸 줄 미처 몰랐다.
"그래, 한 번 해보는 거야!"
기회는 단 한 번!
마른침을 넘기며, 야무지게 손매를 걷었다. 저 멀리 왜소한 조폭이 무섭게 달려오자마자, 기합과 함께 그에 멱살부터 잡았다.
"야합!"
갑작스러운 내 행동에 당혹스러웠는지 그 녀석이 순간, 멈칫했다. 이때다. 재빨리 엎어치기 하며 뒤로 넘겼다.
바로 유도 자세다. 루아의 취미이자, 나의 취미가 된 유도로 그 녀석을 시원하게 쓰러뜨렸다. 꾸준히 운동한 보람이 있네. 그렇게 뒤도 돌아보지도 않은 채, 나는 폐공장 밖으로 빠져나갔다. 굳이 말하지 않아도 안다. 하루가 지났다.

***

납치 사건 이후, 한 달 후에야 나는 딸이 그날 하루 동안 연락 두절에 대해서 엄마한테 물어봤다. 그러자 엄마의 대답은 간결했다. 남자친구 집에 간 줄 알았지. 악! 나도 모르게 낮은 탄식이 새어 나왔다. 사기꾼 준수와는 두 번 다시 얽히고 싶지 않다. 정말 최악의 남자친구였다. 끝내, 조폭 무리와 상습범 준수는 죗값을 치르게 되었다. 뉴스 기사로는 A씨, B씨로 되었기에 엄마는 모를 수밖에 없다.
다시 내 얘기로 돌아와서. 다행인지 몰라도 엄마의 무관심 아닌,

무관심으로 지금 당장 콘서트장으로 달려갈 수 있었다. 밖에 바람이 얼굴에 스쳐 지나가는데, 파도에 물결처럼 시원하고 온몸이 날아갈 정도로 기분이 상쾌했다. 나는 한 손에 무언가를 꽉 쥐며 말했다.
"어때, 루아야 좋지?"
"………"
아무런 대답이 없다. 근데 너무나 당연한 일이다.
자세히 들려다 보면, 내 손에는 포토 카드가 있다. 액세서리용 블루 사파이어로 꾸며진 탑꾸다. 포토 카드 사진 속에는 바로 루아. 아니, 정확히 말하면, 버추얼 아이돌 중에 멤버인 루아 사진이 들어가 있다.
사실 나는 외출할 때마다 항상 '루아 포토 카드' 사진을 들고 다닌다. 나의 애착템이다.
이번에도 '루아 포토 카드'를 들고 준수 집에 갔고, 어쩌다 폐공장에 붙잡혀서 함께 사물함에 갇히게까지 했다. 산전수전 다 겪어 흙범벅 된 '루아 포토 카드'를 손에 쥐고 나는 열심히 달렸다. 살기 위해서는 최대한 폐공장과 멀리 도망쳐야만 했다.
노을빛이 점점 하늘에 번져가자, 촉박함을 느꼈다. 오후 여섯 시 공연이라 집에 들러, 옷 갈아입을 시간이 없다.
목적지 향해 얼마나 정신없이 달렸을까.
기억을 더듬어봐도 아직도 그 과정이 잘 기억나지 않는다.
정신을 차려보니, 티켓을 내밀고 콘서트 안으로 입장하고 있었다. 우여곡절 끝에 얻은 티켓이라 유난히 남다르게 다가왔다.
밀폐된 공간이 아닌, 초대형 공연장이라 얼마나 천만다행인지. 휴-안도감이 돌았다.
두둥-두둥- 두둥치- 흥겨운 음악과 함께 화려한 조명이 포문을 열자, 쿵! 하고 가슴이 웅장해졌다.
까-악! 시작과 동시에 시간이 어떻게 흘러갔는지, 벌써 콘서트 막

바지 향해 달리고 있었다. 이때, 귀에 익은 멜로디가 공연장을 꽉 채웠는데, 칠 년 전에 루아가 바닷가에서 불러 준 노래였다. 무대에서 노래를 불러 준 루아 모습이 대형 전광판에 가득 채웠는데, 나도 모르게 기타 치는 루아 손에 집중됐다.
사실, 루아는 AI다.
'네모' 멤버가 버추얼 아이돌 데뷔하기 전에 원래 '블루씽'이라는 발라드 삼인조 가수였다. 오 년 전에 그중 멤버가 우울증으로 인해 스스로 생을 마감한 사건이 있었다. 그렇다. 나의 최애였던 루아다. 아니, 이현우다.
그런데 죽은 현우를 잊지 못한 두 명의 멤버로 인해, 버추얼 아이돌로 새롭게 데뷔했다. 뛰어난 기술로 현우는 AI 루아로 되었다. 팬들은 이 사실을 알면서도 누가 시키지도 않았는데 불구하고, 암묵적으로 모른 척한다.
이때, 나는 전광판에 눈을 뗄 수 없었다. 루아 왼손 검지 중간지점에 작은 점이 보였다. 하지만 AI 루아는 점이 없다. 웹툰 그림체를 가진 버추얼 아이돌이기에 아무리 멤버들과 흡사하게 만들었지만, AI 루아 손가락에 점은 없었다.
설마?!… 에잇 설마 아니겠지 하는 순간, 씨-익 웃는 AI 루아를 보니 확신했다.
"현… 현우?"
겹쳐 보이는 디졸브가 아닌, 확실히 현우였다. 분명, 누군가는 현우의 혼이라고 하겠지만, 나는 상관없다. 어떤 방식이라 듯 간에 현우를 다시 콘서트에서 볼 수 있는 사실만이라도, 이보다 더 행복할 수가 없다. 노래 중간에 현우가 달콤한 멘트를 날렸다.
"너에게 주는 선물이야."
그러자 루아로 보이는 팬들은 크게 환호성을 질렀다. 하지만 현우를 알아본 나는 기쁨에 눈물인지, 감격의 눈물인지, 그저 하염없이 폭풍 눈물을 흘렸다.

호윽- 호윽- 호윽- 얼굴에 눈물바다로 덮쳤다. 오 년 동안 묵혀둔 후회가 말끔하게 씻어졌다.
"고마워, 현우아! …… 아니, 루아야~"
콘서트에 새어 나오는 불빛들이 윤슬처럼 반짝거렸고, 행복해하는 루아에 얼굴에도 반짝반짝 빛이 났다.

작가의 말_이민희

우연히 '버추얼 아이돌'이라는 새로운 문화를 알게 되었다. 상상 이상의 또 다른 세계라 신기했고 무척 흥미롭게 다가왔다.

어쩌면 '버추얼 아이돌' 이라는 존재가 생소하게 다가온 자들도 있겠지만, 새 안경으로 바라보는 우리에게 '버추얼 아이돌' 이들이 전하려고 하는 이야기를 먼저 귀 기울이고 싶었다. 그래서 우리 삶에 자연스럽게 흡수시켜서 새로운 문화를 함께 뻗어가고 싶었다.

삶에 지친 누군가에게 잠깐의 재미와 희망을 전하기 위해서 이번 작품에 AI까지 접목해, 여러 방면으로 구상했다. 수정작업을 몇 번 걸치게 되면서 작품에 애정이 더 깊어졌고, 여러 파편에 조각들을 종합해서 이번 작품이 나왔다. 여행을 통해 상처가 치유되는 반짝이는 윤슬이 되길 바란다.

비몽

조유민

— 여보, 김치 갈비찜 해놨어. 이따가 배고플 때 약한 불에 데워서 먹어. 잘 자.
급하게 넥타이를 매고 난 뒤 새벽 4시에 보내놓고 나간 문자를 밤 11시 55분까지 읽지 못하자 일을 마친 서혁이 신호도 무시하고 질주하다가 그만 꽃이 수놓인 야경길을 드라이브 하는 여행객으로 오인받고 말았으나 차를 세운 교통경찰이 그때 당시 TV를 보았던 사람이었기 때문에 다행히도 그의 얼굴을 잘 알고 있었다. 이른바 "여행을 못 가는 남자"로 통했기 때문에, 금방 보내주었던 것이다. 속으로는 옛것의 성격이 튀어나와 욕지거리를 내뱉었다.
그동안 여인은 깊고 어두운 잠에 빠져 있었다. 요즘 들어 늘 그랬다. 그전까지는 심하지 않았으나 자다가도 벌떡 일어나는 정도였으므로 그다지 신경 쓰지 않았던 것이 잘못이었다.
바람은 한곳으로 모였고, 한곳으로 모인 바람은 마음속 알갱이를 갈갈이 무너뜨려 산산조각 내어서는 더 깊숙이 침투해 정신 사나운 마음병에 들도록 추하게 갉아먹었다는데 그거라고 해서 몰랐다며 아우성치는 여인은 한창 제정신이 아니었고, 제정신이 아닌 아내에게 남편 서혁은 일을 잠시 쉬도록 설득하며 집에서 약을 섭취하며 당분간은 휴식에 집중하였으면 한다고 바랬다.
이윽고 그것은 선의의 악행이 되어서 여인 속 마음의 꿈 그 안 상처를 더욱 갉아먹는 구더기가 되고 말았다. 서혁이 그것을 알고도 모른 척해 주었던 건지 정말로 몰랐던 건지는 알 수 없었다. 그저 구더기의 행방은 남편이라면 절대로 평생토록 모를 것이라고 여인은 어떠한 근거로 인해 조용히 고독하게 철저히 혼자서 판단해서는 아무에게도 말하지 않으며 안고 살아가겠다고 가슴 깊이, 살점 세포가 쑤셔 저리게 느꼈으리라.
잠에서 깨어난 순간 제 손을 붙들며 감싸는 뺨에서 커다란 손이 느껴졌다. 벌벌 떨리는 눈동자를 천천히 올려보았다. 식은땀이 촉촉한 손바닥이 볼살에 붙들린 채 덜덜 떤다. 익숙한 살냄새에 정신이 서서히 맑아져갔다. 여인의 이름을 부르며 식은땀을 닦아주는 서혁을 보자, 안도감이 파도처럼 휩쓸려왔다. 참았던 눈물이 터져 나오고 한참이나 넋이 나간 듯 서혁의 얼굴을 훔쳐보다가, 기운 없이 미소를 짓다가도 지루함을 받아들이는 양 처량하게 눈살을 찌푸렸다.
"서혁아. 있잖아. 시윤이가 그랬는데, 절대로 안 된대."
그러자 서혁은 그 아이가 아직도 여인을 그리워하고 있음을 깨달았다. 그 아이는 접월시 청설교 기념관에 몇 년 째 잠들어 있었는데 제대로 일을 시작하고 나서부터는 서로 시간이 바빠 방문한 적이 한 번도 없었지만 어릴 적 처음 들어갔을 때의 암묵적인 공기와 냄새는 아직도 선명히 기억하고 있었다. 서혁은 아무런 추궁 대신 머리를 쓸어 넘겨주며 말했다.
"우리 시윤이 보러 갈까?"

***

고속버스 안에서 여인이 잠에서 깨어났다. 누군가 어깨로 여인의 고개를 받쳐주고 있었다. 저보다 앞에 있는 좌석이 커튼을 먼 데로 밀어 들춰내 버리자, 도무지 이해할 수 없는 세계를 마주하는 마냥 처음 기억은 '저 사람도 이제 막 잠에서 깨어났나 보구나'하고 생각한 거였지마는 거기에 사람이 결코 있었을까 싶었다.
빛이 들어와야 할지언정 차가운 빗물이 우중충하게 하강하는 바깥 안으로 시야를 좁혀보자,
'28?'
28이라는 숫자가 눈에 띄었다. 낡은 금빛으로 도색된 숫자판이었는데 그 옆 너머로 커튼이 살랑이고 있었다. 지그재그로 마감된 자주색 두꺼운 원단이 한껏 모여 부채꼴로 묶여 있는 커튼은 진득한 역광을 그림자 잔해에 남겨내고 있었다.
이상하지. 도통 이상하지. 어째서 비가 오는 밤도 아닌 아침도 아닌 낮도 아니고 모를 시간에 역광을 내비치고 있는지 몰라서, 도통 모를 저 자줏빛이 뜨겁고 으슥하고 슬프다. 마치 저건 그와 같다. 슬픔 그 파랑에 심장을 절여서 꺼내는데 심장 일부가 녹아 그 일부는 무척이나 큰 조각이었고 참을 수 없이 녹아버린 일부 그 조각은 산산조각 깨져 흐름의 줄기로 각각의 길을 가버려서는 더는 모일 수도, 담아 주울 수도 없이 늦어 결국 지옥이 될 전야로 환영해 주는 그것일지도 모른다.
저 멀리 앞 TV에서 카세트테이프가 역재생되는 음악 소리가 시도 때도 없이 흐르기 시작했다. 좌석에 앉은 사람 모두 일제히 그곳을 쳐다보았다.
「됐어요. ……네, 안녕하세요! 오늘은 아름다운 바다가 활~짝 펼쳐진, 청설모의 마을, "청설모 캠핑장"을, 소개합니다~!」
진행자가 진행 멘트를 낭랑하게 외쳤다. 곧이어 화면에서는 푸른 바다가 활짝 펼쳐졌다. 잔잔하고 보드라운 물빛이 나른하게 표면을 밀어낸다. 무더운 햇살을 가려주는 그늘막 아래 미적지근하게 차려입은 사람들이 휴가를 보내고 있었다. 다만 앵글이 너무 멀어 얼굴

은 잘 보이지 않았다. 하지만 모두가 즐겁겠다고 믿지 않았으며 필시 그럴 것이 다분하다고 생각하는 여인이었고 그러나 연기도 아니고 진심도 아닌 슬픔이라고 느꼈겠다. 허상과 공상 사이 어딘가에 걸쳐 있는 즐거움은 차라리 꾸며낸 거짓말보다 못한 슬픔이라고 생각하는 여인일 터였다.
보기만 해도 상쾌하고 싱그러운 멜로디가 울려 퍼졌다. 그러자 멀리로 움직이던 카메라가 해변가 사람들로부터 멀어지더니, 초록빛이 점점 우거지기 시작하는 경계에서 이제는 곧 캠핑장을 드러냈다. 날씨가 좋을 때만 개장한다는 캠핑장은 저 날 따라 사람이 많이 모였는지 캠핑카와 텐트 여러 곳 불빛이 빼곡히 밝혀져 있었다.
"숲이 가까이 있다는 걸 포인트로 맞춰서 공간을 꾸민 건 좋은데, 위험하게 바다 근처에 캠핑장을 세우다니."
멀리 아득히 저만치 저 넘어서 어딘가로 끌고 갈 듯한 원령의 목소리가 여인을 사로잡자 옆을 돌아보니 그 남자가 있었다. 남자는 대답을 듣지 않고도 여인이 어떤 대답을 내밀지 알 것 같겠다는 모양세로 말을 이었다.
"그렇죠. 조금 그렇죠? 좋아 보이지만, 어라, 뭔가 이상한데, 아무도, 그걸 지적하지 않아서. 모두가 좋아하거든요. 사람이든 뭐든요."
나른하게 기댄 어깨 위 여인의 귓속으로 낯선 남자의 나긋한 목소리가 깃털처럼 내려앉았음에도 불구하고 서늘하고 싸했다. 하나 익숙하고, 또한 그리운 기분이 들어서 빗방울이 직하하는 광경이 망막에 위협을 주는 동안에도 여인은 그저 가만히만 있었고 느릿하게 눈을 깜빡거렸다.
"제 어깨 편해요? 다행이다."
그렇게 말하는 남자가 실없이 웃었다. 때 묻지 않은 미성이 텅 빈 가슴을 온기로 적셨다. 여인은 통명스러운 게 아닌 통명함 그 자체를 품은 진심으로 물었다.

"평소에도 그렇게 웃고 다니나요."
여인은 비단실같이 흐르는 머리카락 틈새로 맞은편 좌석을 슬쩍 훔쳐보듯, 스르르 흘러내리는 머리카락 사이로 깊게 파인 옷을 입고 즐겁게 대화를 나누는 두 여성과 눈이 마주쳤다.
"……."
서로 시선을 피하지 않았다. 그러자 남자가 여인의 뺨을 총 모양 손가락으로 짚고 가볍게 왼쪽으로 돌렸다. 여인은 고집스럽게 말했다.
"저 아이들, 어디서 본 것 같아요."
"우리가 아는 사람이에요. 그렇게 빤히 보면 안 돼요."
고개를 돌린 왼쪽으로는 아까보다 많은 비가 쏟아지고 있었다. 비는 뒤로 가는데 버스는 앞으로 직진한다. 모두가 알고 있는 사실인 이게 여인에게는 도무지 이해가 가지 않는 역설의 세상으로 비치는 마냥 기분이 몹시 언짢았지만,"내가 미치지는 않았어"중얼거렸는데, 그렇다 함을 사실이라고 믿을 수 있었던 이유는 오로지 감일 뿐이었다. 여행을 떠나기에는 최악의 날씨였지만 사람들 모두가 신이 난 것이 기이했으나 여인은 내색하지 않고, 소름이 끼친다며 자리를 벅차며 일어나다 어딘가에 부딪히지도 않고, 운전기사에게 억지로 문을 열어달라고 난동을 피우지도 않았으며, 그저 찌뿌둥하고 힘없는 어린애 마냥 남자 곁에 늘어져 있기만 할 뿐이었다. 그 모습이 마치 수년이나 스킨십을 해왔던 익숙한 한 쌍의 커플처럼 썩 괜찮아 보이는 그림이었지만 여인은 그것마저 싫었다. 하지만 그러려야 떨어지기도 싫었다.
"관광버스예요?"
여인이 소심하게 쥔 손가락에 맴도는 남자의 옷깃은 보기보다 부드러웠다. 에어컨 공기에 매끄러운 라인을 따라 살랑이는 감촉은 흔히 남자아이들이 어릴 적 당시 자주 입는 운동복 스타일의 상의와 닮아있었지만 그가 입은 옷은 단정한 블라우스였다.

"그런 것 같네요."
"여기, 어디로 가요?"
남자는 "음…."하며 조그맣게 고개를 숙이다가 여인의 흘러내린 어깨를 정돈해 주며 소곤거렸다.
"접월시 서구 청설모 캠핑장으로 가는 중이에요."
아주 조그맣고 뚜렷한 목소리였다. 그 목소리를 듣자, 그때처럼 청렴하고 무더운 날을 떠올렸다. 하지만 추억을 되짚어 보지는 않았다. 그럴 새도 없이 남자와 얼굴을 마주 보았기 때문이다.

***

"있잖아요."
여인이 바라본 남자는 대충 다듬은 병지컷이 어울리는 어슴푸레한 낯빛의 사내였다. 머리를 오랫동안 빗지 않아 잔머리가 튀어나왔지만 무심한 여인의 손길이 스리슬쩍 오갔다.
"뭐요."
손길이 끝난 뒤 두리번거리며 자세를 바로 곱게 앉는 여인은 눈곱 없이 선명한 시야가 단 하나도 의심스럽지 않았다. 뭐요, 하는 여인의 무심한 대답에도 꿈쩍 않는 남자는 TV를 바라보며 한 가지 사실을 알려주었다.
"예전에는 저기에 청설교라는 다리도 있었대요."
"청설교요?"
청설교. 어딘가에서 들어는 봤지만 잘 기억이 나지 않는 무언가로 느껴졌다. 이때 여인의 왼손 약지를 남자가 스리슬쩍 손으로 가렸다. 거기에는 서혁과 오래전 맞춘 결혼반지가 그림자에 암울하게 광채를 빼앗기고 있었다.
"하지만 잊어요."
남자의 손이 서운한 듯 빛을 가리고 있었다.

"잊어서 행복하게 살아요."
하지만 남자는 잊으라 했다. 파도에 힘없이 밀려 나가는 해초가 되는 기분이 들었다.
"잊으면 좋아요?"
"싫어요."
싫다고 했다. 더는 묻지 못해야 할 텐데. 그러면 모든 게 괜찮을 텐데. 여인은 참을 수 없어 또 한 번 물음 대신 또다시 왼손 약지를 매만지는 남자의 손을 연약하게 쳐냈다.
"그만해요."
고속버스가 방지턱을 넘고 고속도로로 진입했다.
"그만해!"
맞은편 앞좌석에서 튀어나온 걸걸한 외침에 여인의 몸이 움찔, 하고 기울자 창백한 손이 여인의 어린 시절 불주사 자국을 붙잡았다. 그러다 문득 스쳐 지나가는 기억이 나타났다. 여인은 저곳을 온전한 정신이 채 미치지 못한 몸으로 뻣뻣하게 굳어서 볼 수밖에 없었다.
"지금 이게 사람 많은 데서 뭐 하는 거야, 더럽게, 하지 말라는 말 안 들려?"
한 아이 아빠가 바로 앞자리에 앉은 사람에게 호통을 치고 있었다. 그러나 바로 앞자리 아이에게 그러는 건지 그 옆에 앉은 아이 엄마에게 그러는 건지는 알 수 없었다. 엄마의 옆에서 등을 구부정하게 숙여 흐느끼고 있는 어린 여자아이가 검은 비닐봉지를 구겨 잡고 울고 있었다. 주변은 아무도 그를 말리지 않았다. 공기 속 흐름에 섞여있는 먼지처럼 여기며 자기 할 일을 하는 그들은 정말로 저 가족이 존재하는 사람인지 다시 한번 생각해 보게 만들 만큼 명백한 존재 가치 무(無)를 주장하고 있었다.
"멀미하네요."
여인은 나 자신에게 말하듯 말도 안 되는 무언가를 볼 수 있듯 그것을 바라보듯 신비로움을 금치 못하며 중얼거렸다.
"멀미는."
"네."
여자아이는 고통스러운 신음을 계속해서 흘렸다. 식도에서부터 올라올 구역감을 생각하자니 서글펐다. 어머니가 손으로 아이의 등을 두드려 준다. 투박한 손바닥질이 썩 상냥하진 않도록 마치 뺨을 때리는 것도 같은 게 매서웠다. 끝내 헛구역질이 순식간에 밀려 올라오고 가까스로 입을 아래로 벌려 침도 삼키지 못하고 숨도 못 쉬는 지옥 같은 몇 초를 버티는 행위를 해내었다. 드디어 묽은 이물질을 뱉어내고 난 후 숨을 몰아쉼을 지속한다.
"멀미는요."
여인은 저도 모르게 발끝이 수그러들었다. 속이 개운해지면서 동시에 허한 느낌과 목구멍에서 풍겨오는 지루한 불쾌감, 많은 것들이 온전히 전달되어 느껴졌다. 아이의 등받이를 세게 올려치는 아이 아빠가 욕지거리를 내뱉었다.
"이런 씨, 쪽팔릴 년이, 아이고 씨, 씨……."
"운동과 같아요."
남자의 손이 여인의 어깨에서부터 스르륵 내려간다. 그대로 여인 손등 아래로 닿으려고 할 때 여인은 아무런 의심 없이 자신의 손을 다른 곳으로 옮겼다. 점잖아 당혹스러운 남자의 손바닥이 그대로 팔걸이에 정착했다.
"운동요?"
"아무리 멀미약을 먹어도 먹어도 장시간을 뛰면 배가 아려요……."
어릴 때는 그랬다. 아주 많이 고통스러웠다. 유치원 통학 버스도 그래서 타지 못 했던 것 같다. 처음에는 잘만 탈 수 있겠다고 믿었다. 하지만 토를 하고 난 뒤 모든 게 달라졌다. 보는 시선이 특히 크게 다가왔다. 예쁜 옷을 입고 등원하는 여자아이들의 순진한

매정함이 치욕스러웠다.
그 눈빛은 초등학교에 올라가서도 멈추지 않았다. 그녀들은 틈만 나면 자리를 피했고, 아예 등을 돌리고, 자리에서 일어나며, 최대한 닿지 않으려고 안간힘을 쓰는 모습이 퍽 우스워서 속으로 어찌나 비참했는지 몰랐다.
"그게 반복되다 보면, 체력이 생기는데. 그러면 달팽이관이 어느 정도는 버텨줘요. 처음에는 토를 많이 하는데…그리고 점점 토를 하게 될 때가 줄어들고, 결국에는 속만 매스꺼울 때가 와요."
그래서 초등학교에 오르고서는, 여자아이들이 소곤대고 남자아이들이 없는 취급했다. 그렇게 자연스럽게도 현장 체험학습을 가게 되는 날이면 그것도 가기 싫었다.
"그때부터는 체력 싸움이에요. 그런데 저는 체력이 약해서 금방 탈진하고 쏟아내는 딸이었어요. 외할머니 댁에 가는 버스 안에서, 한 번은 참다가 못 참아서 검은 봉투에 토를 하는데 누가 뒤통수를 세게 때리는 거예요."
이번에도 체험학습을 빠질 거냐는 한심스럽다는 반장의 말투에 짜증이 났던 여인은 가겠다고 했다. 창가 자리에 앉아야 했지만, 짝의 욕심으로 인해 복도 자리에 앉게 되었다. 처음에는 역시나 괜찮았다. 끝까지 참고 참다가, 마침내 주차를 위해 버스가 코너를 돌았을 때였다. 앞에서 뛰어 지나가는 무단횡단자가 나타나자, 순간적으로 앞으로 몸이 기울자 더는 참지 못하고 뱉어내고 말았던 거다. 눈을 떴을 때 그녀는 바닥만 줄곧 목 아프게 쳐다볼 뿐밖에 못했다. 옆자리 여자아이가 비명을 지르고 눈물을 흘리고 있었다.
미칠 것 같았다. 어지러운 정신도 다잡지 못하고 있는데 담임 선생님에게 등을 떠밀려 바깥으로 나왔다. 그곳은 보리밭이었다. 선생님은 생수를 떠밀었다. 그 생수병을 받는 순간이면 모든 게 눈앞에 사라져 자기만 버리고 떠나갈까 무서운 마음에 손을 움직이지 못했다. 선생님은 그걸 이해하지 못하고 억지로 손에 쥐여주셨다만,

그렇게 받은 생수로 서툴게 입을 헹궜을 때 수치심을 느꼈다. 뒤를 돌아보는데 선생님이 없었다. 다만 버스는 있었다. 어두운 창 안으로 구경하는 얼굴이 한 칸마다 하나씩 보이자 그만 생수병을 떨어뜨리고 말았다.

"아빠였어요. 아빠는 공공장소에서 창피한 짓이라고 생각되는 짓을 조금이라도 눈앞에서 튀면 인정사정 봐주지 않았어요. 여행 갈 때마다 항상 그랬어요."

물을 쏟아낼 때 피도 함께 쏟아내었다면 좋았을 텐데. 작게 덧붙인 말에는 실오라기 한 점 없이 맑은 순수함이 깃들어 있었다. 그날 이후 초등학교 4학년 담임선생님은 여인에게 아빠 다음으로 서먹한 어른이 되었다.

"그 사람은 한 사람의 인생을 파멸로 이끌었어요. 무섭고 아주 질기게 괴롭혔죠. 저만치 한 발짝도 숨통 틔우지 못하게 짓밟은 정도는 아니지만, 차라리 그게 더 나았으리라고 생각하게 만들 만큼 지루하게 뺨을 쳤어요. 그 인물의 촉감이 싫어요. 내 턱을 쥐어잡고, 턱뼈를 짓누르고, 항상 각도 30도로 기울여 내팽개치고 손바닥을 탈탈 털어 일어나는 자만감이 더러웠는데, 그런 인물과 내 어머니를 함께 같은 공간에 두고 정장 3시간을 달려야 했는데, 그 시간도 채 채우지 못하고서는 휴게소에서 짐승 패듯 그랬을 때, 나는 아무것도 할 수 없다는 낙오감에 울기만 바빴고, 경찰은 아무것도 안 하며 손을 놓고, 사람들은 사진이며 동영상을 찍어대니 저는 무서워서 도망을 쳤죠. 그랬으면 안 됐는데……돌아와 보니, 엄마는……"

고속도로는 콘크리트가 얼음판처럼 깔끔할 텐데 왜 이렇게 울퉁불퉁 한지, 자갈을 밟는 마냥 버스가 덜덜 흔들렸다. 여린 몸이 버스와 함께 흔들리면서 흐름이 왼쪽으로 꺾이자 저절로 창밖으로 시선을 좁혔다. 온통 구름이 쏟아내는 빗줄기를 하염없이 구경한다.

엄마가…….

***

"비 오는 날마다 때렸어요. 그때 맨날 그때 생각난다고, 하면서, 다 너 때문이라고."
"아버지가요?"
여인은 명확한 대답 대신 이렇게 말했다.
"그래서 학원에서 계곡에 간다고 했을 때, 나만 빼고 다 갔어요… 난 무서워서요."
그러는데, 3차선을 달리고 있는 고속버스 옆으로 대형 태권도 학원 차량이 2차선에 진입해왔다. 여인은 관심이 없었다. 하지만 보게 되어있었으리라만. 한참을 아무 말이 없던 남자가 문득 손으로 가리켰다.
"저기 봐요. 학원생들끼리 놀러 가나 보네요."
얼굴이라도 봐야 할 것처럼, 꼭 그래야만 할 것처럼, 너는 봐야 해. 꼭 봐야 해. 저걸 봐요. 남자가 뻗은 손끝으로 여자가 계속해서 차창 밖으로 시선을 주자 가운데 태권도 학원 차창이 열리더니 철부지 장난꾸러기 같은 어린아이들이 웃음을 지었다. 여인이 따라서 눈웃음을 나눴다. 초등학교 저 학년생 정도로 보이는 아이들이었다.
"뒷좌석에는 아마 고학년 생도 타고 있을걸요."
아이들은 저마다 초콜릿이나 간식 따위를 주섬주섬 꺼내 자랑하는 식으로 흔들어 보였다. 꼭 동네 마트에서 학원 사범님이 부모 대신 사준 초콜릿을 아무에게도 자랑하지 못해 그녀에게 자랑하는 것처럼 그랬다.
"맛있겠네."
"저 나이 땐 저게 제일 맛있어요."
"그렇긴 해요."

남자가 여러 가지 초콜릿을 언급하면서 추억을 상기하는 것처럼 조잘거렸다.
“크런키나 자유시간 같은 거요. 통으로 된 거 가져오면 다들 달라고 손 내밀고. 안 주면 삐지고. 친한 애한테는 꼭 두 알 이상 줘야 해요.”
“옛날 일을 잘 기억하고 있네요.”
“저에겐 현재인걸요.”
그 말을 듣자 여인은 한 가지 의문이 들었다. 남자에게 조심스럽게 물었다.
“혹시 몇 살이에요?”
“초등학교 6학년이요.”
고속버스가 오른쪽으로 살짝 기울었다. 끝내 두 차량은 대화도 나눠 보지 못하고 코너를 사이에 두고서 각자의 길로 멀어졌다.
“다시는 먹지 못하겠네요.”
허무한 아쉬움을 들은 여인은 모호한 마음으로 시선을 거둘 뿐이었다.
“…왜요.”
남자가 묻자 여인은 시선을 피한 채로 말했다.
“지금 당신 성인인 거 알아요?”
남자는 팔짱을 꼈다.
“아. 당연하죠.”
그러고는 덧붙여 말했다.
“항상 내가 1등이었어요. 가장 먼저 손을 뻗어서, 애들이 다 초콜릿 귀신이라고 했는데.”
“이따가 내리면 하나 사 먹으면 되잖아요.”
“그럴 수 있을까요?”
상투적인 질문이었으나 대답을 절실히 바라는 짧은 질문인 그것에 당연하게도 여인은 당연하다고 대답했다. ‘당연할’ 확률이 얼마나 될지, 남자는 곰곰이 생각해 보았지만 금방 포기하고 말았다. 그랬던 것은 가족이라는 소리를 저절로 모르게 내뱉고 나서부터였다.

"그러고 보니까 그 가족 어디 갔을까요?"

화제를 전환한 거다. 여자가 눈치를 보며 주변을 두리번거렸으나 그 가족은 어딜 가고 없었다. 신기할 따름이었으나 신기할 신기함마저도 이곳에서는 사치였다.

"인사는 하고 가셨다면 좋았을 텐데."

어쩌면 이 말은 생각이 없다고 느껴질 수도 있겠다고, 여인은 내뱉고 나서야 깨달았다. 남자도 그렇게 느꼈는지,

"어쩌면 그러지 않는 게 더 좋을 수도 있어요."

하고 자세를 고쳤다. 삐딱한 자세는 아니었지만, 여인에게는 조금은 신경이 돋아난 것처럼 보였기에, 여인은 괜히 나른하게 발목을 교차하면서 흘겨보았다.

"그렇, 죠. 한 번 만난 인연도…인연이지만. 여행길에 만나는 인연은 전혀 길지 못하니까."

너무 짧은 인연이었겠다. 하지만 이건 짧아도 길어도 좋은 인연이 아닐 거였다. 그런 건 서둘러 보내버려야 속이 시원할 거다. 하지만 여인은 그게 싫었다. 그래서 시윤을 잃던 날 매일 밤을 시윤과의 추억이 담긴 인형을 껴안고 울고 추억했다.

"잘 생각해 봐요."

"뭐를요."

"힌트 하나 줬다고 생각하세요."

그게 도통 무슨 말인지 모르겠다고 하려던 찰나 말을 가르듯 운전기사가 외쳤다.

"곧 휴게소에 도착합니다!"

사람들이 저마다 서로를 보채며 주섬주섬 물건을 챙겼다. 맞은편에 앉은 두 여자아이들도 가방을 챙기는 게 보였다.

"…분 동안 휴게소에서 휴식하겠습니다."

숫자가 소리를 잃어서 어찌 된 영문인지 다들 여인을 빼고서만 이해를 했다. 여인은 설명을 원하는 눈으로 옆자리를 올려다보았지만, 남자는 그새 어디론가 가버리고 없었다. 이게 말이 되나 싶었으나 정말로 말이 되는 일이 일어날 수 있는 세계가 바로 여기였다는 걸 여인은 아직도 모르는 것이 아름답도록 서글픈 게 양손으로 무릎을 매만지고 있는 벌겋게 물든 하얀 손이 말해주고 있었다.
그저 그래서만 멍을 때리는 여인 앞에서 저 머나먼 TV가 또 말을 걸었다. TV마저도 생기를 잃었나 하는 것처럼 전보다 더 서먹하게 인사를 뱉었다.
「네, 안녕하세요. 이제는 아름다운 바다가 활짝 펼쳐진 청설모의 마을, 청설모 캠핑장을 소개합니다.」
사람들이 다 빠져나간 건지, 꿈도 뭣도 아니라서 모두 다 엉망진창이 되어버린 나머지 전부 뒤틀려버린 건지, 여인은 알 수 없는 흐름에 몸을 맡기기에는 너무나도 두려웠고 얼른 이 답답한 직사각형 틀 안에서 벗어나고 싶었다.
'아무튼 일어나….'
뭐가 됐든 일어나야만 할 것 같아서 일어났더니 옆구리에 손을 짚고 있는 운전기사 아저씨와 눈을 마주쳤다. 여인은 정체를 훌쩍 더듬어 샅샅이 수색하듯 쳐다보는 눈빛에 얼른 밖으로 나가고 싶었다. 입구로 빠져나가기 위해 안전바를 붙잡고 운전기사 틈을 비집어 나오려는데, 운전기사가 양손으로 옆구리를 짚은 그 상태 그대로 미동도 없이 시선만을 주며 미심쩍게 말했다.
"혼자 왔어요?"
알코올 냄새가 희미하게 코끝을 튕겼다. 불주사 자국이 아렸다가 그만 잠잠해진 게 이상할 찰나 사그라들었을 때마침 여인은 아무도 모르게 소름이 끼쳤지만, 손톱 속살이 간지럽게 떨려와 아무런 대꾸도 하지 않고 계단을 조바심 내며, 그러면서도 애써 무심히, 무심히…내려갔다. 하얀 주차선을 밟아서야, 저절로 숨통이 트였다.

"많이 컸네."
뒤통수가 어지러웠다. 심란한 표정으로 버스에서 멀어졌다. 당연하다는 듯이 휴게소로 향했지만 발걸음은 그리 가볍지 않았다. 하늘을 향해 고개를 쳐들자 목덜미가 시원해지니 그제야 비가 그친 걸 처음으로 알았을 때 나는 맨발바닥으로 걷는 사람이라는 사실을 단 하나 고작 그거 깨닫기만 했을 뿐인데 웃기게도 초조함이 밀려와 더위에 쪄 비틀비틀 휘청휘청 목적지 없이 돌아다니는 개미와도 같다고, 앞서 걸어가는 1번 2번 좌석 승객의 대화소리에 절망했다.

***

휴게소는 여인을 제외하고 모두가 가지런히 정상적인 외출복을 입고 돌아다니고 있었다. 그에 비해 여인만 홀로 어리숙한 차림으로 세상 밖에 나온 것이다. 번데기에서 애벌레로 퇴화하듯 자신감을 잃은 치맛바람이 처절하게 흩날렸다. 버스 안의 승객들은 저마다 휴게소 군데군데 집결돼 있는 음식점을 이용했지만 그 음식이 정말로 구강을 이용해 섭취할 수 있는 물질인지는 확실하지 않았음이 하여금 돈도 가지고 있지 않았으므로 여인은 여자 화장실을 선택해 시간을 때우기로 결심했지만 솔직히는 버스 안에서 나오지 않고 기다리고 싶었다. 그러나 너무나도 무서운 기억 때문에, 고작 그거 하나 때문이라고 할 만큼 비참한 어린 시절 기억 때문에, 치가 떨려 결국 밖에 나오는 선택을 할 수밖에 없었던 것이다.
비바람이 순식간에 마를 만큼 뜨거운 콘크리트 바닥을 맨발로 비척비척 밟아도 아무도 신경 쓰지 않았으며 몽중몽을 경험하며 지옥 땅을 밟는 행위를 유사하게 꾸며 연출하는 마냥 여인을 지옥에 빠진 나락 천사 자체로 빚어냈다. 아귀도 같은 지옥 땅을 밟는 고통보다 더한 콘크리트 맨바닥 맨발바닥에서 피와 땀처럼 흘러 내려오는 접촉 감촉 및 온도 및 감정 및 티끌 자갈의 태산 고통 모두를 느끼면서 자동차들 사이를 헤집어 나아가는 그녀가 보지 못한 시야의 사각지대로, 아까 전 사라진 아이 엄마와 딸아이는 한참 동안이나 아이 아빠에게 무어라 되먹지 못할 욕을 된통 듣고 짓밟히고 맞고 구타당하고 있었다. 그 가족을 목격하면서도 방관하는 또 다른 이가 있었다.
"어휴 저, 병신 새끼들."
아까 전 버스 안에서 여인을 눈여겨보던 운전기사 박효엽은 금연구역에서 담배를 피우다 바닥에 던져버리고 새 담배를 꺼내면서 저 멀리 그 가족을 구경하고 있었다. 그러다 한 기사와 만났다. 학교 체험학습에서 자신의 딸을 도와주었다며 마침내 만나 친해진 딸아이의 아버지 이진배였다. 둘에게는 공통점이 있었는데, 가장 큰 공통점은 둘 다 어린 시절에 부모님을 피해 틈만 나면 집에서 멀어졌다는 거였다.
박효엽은 틈만 나면 대강 남은 돈으로 택시를 타고 터미널에 내려 들어가 의자에 앉아서 사람들을 구경했다. 버스보다 택시가 더 비쌌지만 더 쾌적하고 편한 택시를 고집한 박효엽은 택시를 탈 돈이 안 되면 몰래 아버지의 거적때기 춤에서 돈을 찾아 꺼내 현실도피든 뭐든 상관없다며 그렇게 생각하고서는 자기 세뇌를 하며 택시를 잡아탔다. 이진배 또한 비슷하게 마찬가지였다. 어머니의 지갑에서 돈을 훔쳐다 아이스크림을 사 먹으며 거리를 산책하듯 돌아다니는 나날을 반복하기 일쑤였다. 문득 저 멀리 터미널이 보일 때면, 그 안에서 사람들을 멀찍이 구경했다. 그러다 누군가 어른이 자기를 발견해 제 쪽으로 다가오는 듯하면 얼른 그 자리에서 일어나 도망치기를 반복했다.
어쩌면 둘은 그 당시 언제 한 번쯤은 눈을 마주쳤을지도 모른다. 그렇게 캐리어를 끌고, 가방을 들고, 모자를 고쳐 쓰고, 자리에서 일어나 문을 열고 버스 입구 안으로 들어가는 사람들을 보다 보면 문득 이런 생각이 들곤 했다.
“공공장소에서 지랄하고 있네. 야, 가서 좀 말려 봐라.”
박효엽은 괜히 덩치에 못 이길 마음에 겁이 나선 본인도 모르게 뒷걸음질을 한 발짝 걸었다. 이진배도 마찬가지였다. 둘은 어느새인가 고속버스에 올라타는 인간을 ‘자유로운 승리자’라고 욕하게 되었다. 그저 상대적 박탈감이었다. 과거에서 헤어 나오지 못하고 신세만 원망하는 무한비몽가가 되었을 뿐이다. 이들이 다른 운전기사들에게 욕을 먹고 사는 일은 일상다반사였다. 그리도 욕을 먹으면서도 그만두지 않는 건 지켜야 할 가정이 있었기 때문이라지만 그뿐만이 아니었다. 조금은 재미있었다. 가끔가다 문제가 생기면.
“저런 거 말려 봐야 돌아오는 거 주먹뿐이다. 저거 저 안 보이냐? 이야, 완전 힘 세구만.”
“참. 내. 인간쓰레기다, 인간쓰레기.”
박효엽은 자신의 꼴이 저 가족과 다를 바 없다고 생각했다. 저것은 선택받지 못한 가족의 시트콤이라 생각했다. 괜스레 헛웃음을 크게 터뜨리다가, 문득 나는 알코올 냄새에 코를 킁킁거렸다.
“야. 너 술 마셨냐?”
이진배는 괜히 말하기 싫어 입을 꾹 다물었다.
“미친 새끼.”
이진배는 입맛을 다시는 척하며 뒷목을 매만졌다.
“맛있더라.”
박효엽은 꽁초를 바닥에 투척하면서 교대할 이진배의 어깨를 툭툭 쳤다.
“고생해라.”
이진배는 뒤돌아서는 박효엽의 뒤태를 발로 차는 시늉을 하면서 욕했다.
“이런 씨, 이이. 지도 술 처마신 주제에 멋있는 척은.”
“아아~. 딱 한 모금 했다! 아프다 아파.”

그 둘이 아픔을 희롱하고 있을 때 정녕 아픈 저 사람은 찌는 더위에 죽어가고 있었다.
화장실로 들어왔을 때 여인을 위한 칸은 없었지만 그녀는 필요 없었다. 그걸 알았을 때 모든 칸은 조용히 '사용 중'에서 '비엇음'으로 되돌아갔다. '비엇음'은 원래 '비었음' 이었으나 '었'의 쌍시옷 받침 한쪽이 바래져 '엇'이 되어 있었다.
"아까 그 가족 봤니."
스산한 목소리가 조곤거렸다. 투박한 화장실 안을 메아리치지 않는 목소리는 파동쳐 울리지 않아 저들끼리만 들을 수 있을 만큼 무척이나 작았다.
"아까 내린 사람들 같던데. 애들 보는 데서 뭐 하는 짓이야."
"맞아. 애들 다 보는 데서."
아까 전 버스 안에서 맞은편에 앉아있던 깊게 파인 옷을 입은 두 여자아이들 둘이 세면대 앞에 서 있었다. 여인은 그들과 또 한 번 눈을 마주쳤다. 여자아이들은 여인의 옷차림을 보고서도 무어라 말을 나누지 않았다. 나풀거리는 파란 원피스에 맨발. 지극히 정상적인 사람이 보리라면 충격적이겠지만 그러지 않았다.
여인은 시선을 거두고 멀찍이 개수대 앞 거울로 향했다. 그녀에게 넌지시 물어보는 것처럼 마치 다 알고 있다는 것처럼, 뭐든 웃기고 씩씩하게, 왼쪽 여자가 넌지시 옆 친구에게 말을 전했다.
"야, 아까 그 여자애랑 닮았다."
"음? 어…우와."
그러자 여인의 고개가 절로 휘었다. 누구도 시선을 먼저 거두지 않았다. 아니 못했다고 해야 할까, 하나 문득 후회했다. 왜냐면 심연속을 거니는 기분이 들었고, 어느 순간 심장이 무너져 내리는 것 같다고 생각이 들었을 때는 결국 늦어버리고 말았기 때문이다. 주변시야로 거울에 이물질이 보이자 앞을 돌아보았더니 결국 느끼고야 말았다.

아이들이 거기 있었다. 뭉개진 낯빛으로 천천히 뒤돌아보는 아이들이 슬프고 처절하게, 거기서 단 한 발짝도 다가오지 못하고 제 옷깃을 꾸깃거리며 눈물 흘리다가 점점 펑펑 울어 통곡하기 시작했다. 가슴이 쓰라리도록 저린 마음을 드러내는 건 그러기가 쉽지 않은데도 그렇게 마음을 도륙해 까발려 드러냈다.
여인은 아이들의 신발을 보았다. 오래전 여자아이들 사이에서 유행했던 아동 샌들 구두.
「어…우와. 예쁘다.」
「그렇지? 엄마가 사주셨다.」
여인은 한창 그게 유행이었을 때 몇 날 며칠을 엄마에게 사달라고 조르다가 술에 취한 아빠 손에 붙잡혀 마트에 들어가 길을 잃었다. 그날 밤늦게 달려온 엄마가 찾아와 여인이 울며불며 빌었던 기억이 떠올랐다.
"아파요. 너무 아파요."
몹시도 늦었다. 여자애들, 저 애들이 아프다 했다. 천천히 눈꺼풀을 깜빡이는 여인에게 바닷바람이 스쳤다.
"누구…예요?"
모호한 표정으로 내려다보는 여인 아래 아이들이 아우성을 내지른다.
"토할 것 같아요. 머리 가요……"
거울에 금이 갔다. 대리석 아래로 조각이 깨져 추락했다. 식겁할 파장음을 소리 질렀다. 훌쩍임마저 들린다니 정녕 내가 미쳐버릴 수가 있다니.
그녀 또는 그녀들이 말했다.
"여행은 즐겁게 가는 거 아닌가요?"
그녀 또는 그녀들이 말했다.
"가족은 원래 이렇게 아픈 건가요?"
그녀 또는 그녀들이 말했다.

"저는요. 저는요."
흐느낌마저 물속에서 호흡하는 아가미가 꼬르륵거리는 무음이 되었다.
그녀들이 말했다.
"인어가 되기 싫어요……"
눈을 질끈 감았다. 그녀가 시를 읊듯 귓가에 속삭였다. 수도관이 터져 바닥이 가득 차올랐다.
"바다가 되면 다시 물속으로 들어가서, 엄마 아빠를 만나고 그들은 암초였어요, 물고기가 되어서 암초에 부딪혀 멍들어 죽을 뻔하던 거를 말미잘이 치유해 주면 또다시 바다가 되어서 물속으로 섞여가 암초를 만나면 다 낫지 않은 채 또 부딪히고 멍에 멍을 들여서 자국이 남기고……."
암벽에 죽은 인어가 어부를 유혹했다. 사이렌 소리가 들렸다.

***

"거기 발 조심해!"
눈을 떠보니 바로 옆에선 구급 대원들이 무언갈 옮기고 있었다. 힘없는 발가락이 고단하게 축 늘어져 파란 담요 속으로 조용히 모습을 감춘다. 아이의 엄마일 것이다. 분명 그녀일 것이다. 긴급 수송하여 넘겨지는 중이다. 주차장의 맨 앞, 휴게소 건물의 입구쯤 되는 한 굵은 기둥, 위에는 지붕이 없는 근처였다. 반면에 버스에서 토를 한 여자아이는 어디론가 가버렸는지 아무 데도 보이지 않아 없다고 생각했다. 그게 조금은 신경이 쓰였지만 남몰래 찾을 수도 없었다.
"어딜 갔니."
닿을 사람 없는 메아리가 돌아오지 않을지 몰라도 그저 그렇게 물음을 내던질 뿐이었다. 돌아오지 않을 대답을 바라지 않았다. 그저 말하고 싶기만 했다. 그래도 그렇지 진짜로 대답이 없다니.
응급구조 차량이 다분하게 움직이는데, 무언갈 처리하고 있었다.
바닥에는 검붉은 액체가 꽃놀이처럼 만개했다. 주위에는 사진이며 영상을 찍어대는 사람들이 피처럼 흥건했다. 그 아이들은 더는 없었다.
뒤에서 남자가 다가왔다.
"비 그친 거 언제부터 알았어요?"
"운전기사 아저씨가 그냥 내리게 했거든요."
남자의 표정이 미묘하게 변화했다. 여인과 시선이 한참을 엇갈리다가 창백한 손이 다가오면서 이렇게 말했다.
"멀리 갈 때는 혼자 다니지 마세요."
차갑고 추운 손이 여인의 머리카락을 귀 뒤로 쓸어 넘겨주었다. 부담스러운 마음에 자기도 모르게 얼굴을 물러선 여인은 시선을 마주치지 않으려 애썼다. 남자는 신경 쓰지 않고 계속해서 제멋대로 행동하는 것처럼 보이는 모양새로 움직였다.
"이거 열어볼래요?"
검은 봉지가 묶여서 기둥 앞에 놓여있었던 거다. 누구 하나 열어볼 수 없는 이미지였다. 저건 분명 그거일 거다. 버스 안에서 아이가 무언가를 토해낸 검은 봉지. 그러나 여인은 어두운 기색 하나 없이 그 앞에 쪼그려 앉아서, 열심히 복잡하게 엉킨 실타래처럼 묶여있는 봉투를 무심하게 풀어나갔다. 끝내 활짝 열어보자 내용물이 드러났다.
"잡동사니네요."
애써 침착하게 굴었지만, 잡동사니라 말하는 것들은 전부 다 저 멀리 휴게소에서 보인 물질들이었다. 그러나 인어 지느러미 따위는 없었다. 먹을 수 있는 거라곤 없었고 어린이가 가지고 놀 수 있는 거라고 부를 수 있는 것 역시 없었으며 뭐든 정상적으로 사용할 겨를이 없는 물체들이 수북했다. 인생에서 그다지 필요가 있을까 싶은 것들이었다. 정말 정신이 나갔을까 생각이 들게끔 만들어진 하나의 장치마냥 정신이 어질어질할 것 같았지만 여인은 당황하지도, 무서워 하지도, 겁먹지도 않았다.
“누구 걸까요.”
미동 없는 남자의 목소리에는 떨림 하나 없었다. 그에 비해 여인은 떨리는 손끝으로 잡동사니 사이를 헤집어 지하 깊숙이 집어넣은 손을 꺼냈다. 피에 절은 죽은 심장이었다. 아이가 고달프게 뱉은 건 심장이 아니었음을 믿었는데 결국 심장이었다. 뛰지 않는 심장을 집어던지지는 않았다.
남자가 한 번 더 말했다.
“누구 겁니까?”
감촉은 잔인했다. 차갑고, 뛰지 않고. 마치 무른 홍시를 조심하지 못해 쥐는 것 같았다. 여인에게 떠오른 건 정말 너무나 많은 이들이었기에 감히 심장의 주인을 결정할 수 없었다. 침묵이 계속되자, 여인의 마음을 모르는 것인지 아니면 모르고 싶은 건지, 남자는 떨리는 목소리로 고통을 내뱉었다.
“정말. 몰라요?”
여인은 천천히 그를 뒤돌아봤다. 푸른 산이 뒤덮는 청정한 공기 속 그가 건물과 하나 되어 둘러싼 저 멀리서 연기가 피어오르고 있었다. 조난 당한 누군가 산에서 불을 피워 존재를 구원받고 싶듯.
“모른다고 한 적 없어요.”
그 말에 남자는 서혁을 떠올렸다. 자기도 모르게 언성이 높아졌다.
“모르잖아요. 모르면 모른다고 솔직하게 이야기해요.”
“나는.”
“정말로 모른다면 그 녀석과 결혼했을 리 없잖아요!”
입술이 파르르 떨렸다. 숨을 참았다.
“내가. 내가 어떻게 몰라?”
입술을 꽉 깨물자 눈물이 울컥 솟구쳤다. 여인은 죽은 심장을 남자에게 안기면서 똑바로 바라봤다.
"거기에 같이 있었잖아, 그 애는 기댈 곳이 하나도 없었대. 너였다면 적어도 내가 있었겠지만 그 애는 나조차 외면했는데. 다 싫었대. 다 무서웠다더라. 너마저 없어서 뭐만 하면 화냈어. 제정신이 아닌 것 같았지. 가장 가까이서 널 본 사람이 그 애인 걸 넌 알잖아. 줄곧 미쳐버릴 것 같았다고……꿈에서 인어가……"
그래서 서로를 위로하던 둘은 어느 사이 훌쩍 커버려서, 어느덧 벌써 성인이 됐고, 어느새 사랑하게 되었다고. 그다음은 눈물이 목소리를 걸어 잠갔다.
"……이번…는 하얀…서…더 잘…거라고……."
더는 말하지 못하고 뒤돌아서는 여인을 붙잡으려 뻗은 창백한 손은 너무 늦어버렸다. 여인은 그만 돌아가고 싶었다. 어디든 돌아가고 싶었다. 더는 보고 싶지 않았다.
그대로 뒤돌았다. 하얀 살바닥이 콘크리트 알갱이에 찍혀 갈가리 찢긴다. 피 젖은 알갱이가 남자 발끝에 날아와 닿는다. 날카롭게 귀를 찌르는 경적소리에 정신을 잃을 만도 할 만큼 기특하게도 범퍼 윗부분을 비틀거리며 짚고 빠져나와서는 저 멀리서 달려오다가 비명이나 광음, 아니면 비탄, 그게 아니면 서글픔 그 무엇도 맞는 것 같은 울음을 내지르는 자동차에 치일 뻔한 여인이었다만 남자가 여인의 이름을 외치려고 했을 때 손이 아닌 손목을 먼저 잡아버리자 결국 부르지 못했다.
"위험하잖아!"
남자가 고함을 질렀다. 깜짝 놀란 여인이 공포에 질려 신음을 흘리며 크게 움찔 떨었다. 고개를 치켜들지도, 자신과 얼굴을 마주 보지도 않자 적잖이 충격을 먹은 남자가 여인의 네 손가락을 집은 한 줌의 손안에 담긴 차가운 한기를 이기지 못하고 어쩔 줄 몰랐다.
"울지 마, 말, 울지 마요. 그, 그러, 울지, 진짜, 울지 말라니까."

사실은 미안하다고 말하고 싶었는데 쉽게 그 말이 나오지 않았다. 어떤 의미로든 미안하다는 말을 하고자 하려고 노력했지만 번번이 실패했던 날들을 떠올렸다. 여인은 오늘도 눈물로 대답을 대신할까, 생각하는 순간이었다.
"나는 이걸, 수백 번 봅니다!"
여자가 손을 뿌리치면서 절규했다. 남자의 손에서 심장이 떨궈져 나가고, 저 멀리서 타이어가 맹렬히 달려와 심장을 짓밟고 터뜨려서 기어코 붉은 액체를 분수처럼 흩뿌리고 지나갔다.

***

순식간에 남자의 얼굴부터 몸통, 바짓단까지 반쪽이 피로 물들었다. 남자는 제 왼손을 펼쳐 눈앞에 가져다 데었다. 턱 선을 타고 흘러내리는 핏방울의 각도를 따라서 손가락 끝에 매달린 핏방울도 함께 손목을 타고 흘러내려서는 팔꿈치에서 멈춘다. 그러다 툭 하고 흘러내린다. 툭, 툭, 툭.
"밤마다 봐요. 그거요. 그거 말이에요."
피를 뒤집어쓴 남자를 보면서도 눈 하나 깜빡이지 않고 눈물을 떨구는 여인은 주먹을 꽉 쥐고 바람에 곧 흘러가버리고 말 물살처럼 위태롭게 서 있었다.
"엄마가 아빠한테 처맞아 실려 가는 걸 맨날 봐요. 이제는 누구 엄마 아빠인지도 잘 모르겠어요. 그 아이들 부모인지, 내 부모인지, 다른 사람 부모인지 모르겠다고. 사람들은 다 교통사고라고 하는데, 난 알고 있어요. 근데, 경찰서 간 아빠는 안 돌아오고, 아빠가 놓고 내린 남동생은 할머니 댁 가서 안 돌아오고, 할머니 할아버지도 나랑 연락 끊어버리고, 엄마는…죽고…모두가 날 버렸어요. 그런데 나를 가장 크게 지켜줘야 할 나마저도 꿈속에서, 꿈이라면 행복한 여행을 떠나게 해줘야 할망정 매일 밤을 괴롭히잖아요. 그럼

난 어떡해야 해요? 죽을 때까지 반복인가요?"
여인에게서 죽음이라는 표현이 나오자 저 멀리서 닻을 올리고 돛을 펼치는 듯 운전기사가 소리쳤다.
"곧 출발합니다!"
새벽녘도 아닌데 어지간히 찬란했다. 모든 게 엉망이었다. 분명 아빠는 경찰서로 갔는데, 목소리가 근처에서 맴돈다. 남자는 대답조차 못하고 그대로 여인의 뒷모습에 화난 엄마를 쫓아가는 다섯 살 난 아이처럼 쫓아갔다. 고속버스 안으로 돌아오는 여인을 운전기사는 눈길도 채 주지 않고 "출발합니다."를 말하며 인정사정없이 액셀을 밟았다.
온몸에 젖은 피가 습기에 찌들어 질척하게 물기를 머금고서 쉬이 말랐지만 여전히 충격은 가시지 않았다. 충격이라고 하지만 심장이 터져서 때문이 아니다. 오로지 여인에게 향해 있는 충격이었다. 하얀 블라우스가 빨갛게 물든 지금도 남자는 그저 옆자리의 여인에게만 온통 신경이 쓰였다. 파란색 원단 끝에 핏방울이 튀어 있는 걸 보자 손가락으로 건드렸지만 여인이 매몰차게 옷깃을 잡고 휙 치웠다.
"…죽을 때까지 반복은 아니니까 안심해요."
눈물이 앞을 가려도 여전히 창밖을 향하고 남자에게 시선을 주지 않는 여인의 축 늘어진 팔뚝은 퍽 가녀렸다. 힘듦에 파들파들 떨리는 눈꺼풀이 잠결에 움찔거리듯 머리를 괸 창밖으로 물줄기가 떨어질 때 깜빡거렸다가, 문득 저곳을 보았더니 인어가 보였다. 온통 새하얀, 면사포를 뒤집어쓴 그녀. 환각을 보는 건가?
'원래 있었나?'
처음부터 있었는지도 모른다. 다 지켜보고 있었던 걸까.
「네, 안녕하세요…아름다운 바다가 활짝 펼쳐진 청설모의 마을……을 소개합니다….」
버스 차량 뒤편 후미등이 깜빡거리더니 잠잠해졌다. 그때 뒷자리에서 좀 전까지 쭉 아무 말이 없던 조용한 어르신이 어눌하게 말을 걸었다.
"아가…씨……."
뒤를 돌아봐야 하나 했지만 얼굴을 마주 볼 수 있는 구도가 도저히 만들어지지 못하는 사각지대라는 걸 다시금 깨닫고서야, 고개만 살짝 돌려 틈새 사이로 그 어르신의 목소리를 들을 수가 있었다.
"아가씨. 울었어?"
그건 참 알 수 없었던 의도를 품은 물음이었지만, 어찌 된 영문으로 존재할 수 있었는지도 알 수가 없었다. 아무런 말도 못 하는 두 팔이 서로를 감싸며 아무 데도 보지 않는 몸을 움츠리는 여인을 대신하여 남자가 웃음 머금은 목소리로 나긋하게 말했다.
"비 때문에 그렇게 보이시는 거예요."
"눈물의 무게는 비도 못 이기지. 아니, 정확히 말하자면 인간의 눈이 비와 눈물을 구별하지 못하는 수는 결코 없겠다."
잠시 정적이 흘렀다. 마침내 남자가 입을 열었다.
"그게. 무슨 뜻입니까?"
"눈물은 비보다 송골송골 오래도록 맺혀서 느리고 세심하게 줄기를 추락선화 시켜 어딘가로 향해서는 결코 아무도 찾을 수 없을 정도로 어려운 어딘가로 가버리고 없어. 구름이 쫙 짜내는 즙을 사람의 눈 따위가 눈물과 비교해 판단 못 내릴 정도로 비기지도 못하고 그 이하로 가려내거나 혹은 그 이하로 타박해 어떻게든 우긴다고 숨길 수 있을 것 같더냐?"
"인간은 마음만 먹으면 뭐든 숨길 수 있습니다. 그게 악의든 선의든. 드러내고 싶으면 언제든 드러낼 수 있고, '드러내지 않으려 해도 드러내버리는'척하는 것도 물론 업신여길 것 마냥 해낼 수 있는 게 정녕 인간이 맞습니다."
"너는 악이냐 선이냐?"
대뜸 물었다. 한참을 아무 말이 없었다.

"그럼 당신은 인간입니까? 인간이 아니라서 인간에 대해 모르기 때문에 그렇게 여쭤보시는 건 바로 그겁니까."
여인은 두 사람의 대화를 숨죽여 지켜보지 못하고서 듣기만 했으나 온몸에 솜털이 쭈뼛 서면서 소름 돋는 기분을 체감하자니 절로 뺨에 젖은 눈물이 빠르게 말라갔다. 이는 추운 에어컨 바람 때문이기도 하나 때문만이 아니다. 단 한 번도 뒤돌아 보거나 옆을 돌아본 적이 없었지만 '옆의 남자는 아까부터 쭉 어르신이 앉아있을 뒷좌석을 단 한 번도 뒤돌아 보지 않고 정자세로 앉아서 두 흰자에 충혈이 생길 만큼 매섭게 정면을 쏘아보고 있다.'라는 사실을 언뜻 주변시야로부터 눈치채게 된 순간부터는 온몸이 경직되는 느낌이 들었던 것이다.
여인은 마치 현실과 같은 생체리듬에 두근거리는 펌프질을 시계 초바늘 소리처럼 느끼듯 의식하면서 정말로 이곳이 현실인지 직시하지 못하기도 하는 둥 마는 둥 혼란이 생기기 시작했다. 두 남자는 계속해서 대화를 주고받았다만 어딘가 신경질이 난 듯했다.
"인간은 본래 악이든 선이든 둘 중 한쪽으로 치우쳐져서 잉태된다. 성장하면서 둘 중 하나를 선택하는 시련을 언젠가 받아들이는 게 이제서야 인생이라는 거다. 그리고 그 대가는 오로지 본인 몫으로 다가와. 어떠냐. 어? 네가 말한 대로, 내가 인간이. 아니더라도? 난 인간이고, 인간이야. 너는 지금 이 아가에게 한눈 팔려 있을 뿐, 이미 다 알고 있는 거야. 다 알고 있다지. 저 운전수 놈이 누구인지도 전혀 모르고, 이 아가가 진정 누구인지도 신경쓰지 않고, 여기가 뭐인지도, 내가 누군인지. 봐라. 너도 지금 널 죽인 살인자와 함께 타고 있다고 생각하고 있지 않더냐?"
여인이 움찔했다. 고개를 치켜드니 남자가 인상을 쓰는 게 보였다. 무언가를 기억 속에서 찾아 헤매는 것 같았다. 여인은 오른쪽 검지 손톱으로 왼쪽 팔꿈치를 긁었다. 깎은 지 며칠 안 돼 그새 조금 자란 손톱은 살짝 울퉁불퉁하지만 더 이상 다듬고 가꾸지 않았다.

그게 마냥 부모님 같아서 그저 하염없이 속으로 헛웃음을 질렀다.
“생각하는 게 아니라 맞는 겁니다. 박효엽이예요. 박효엽이라고. 반드시 그 새끼일 수밖에 없어. 다른 놈은 절대 아니야.”
“우라질 놈의 새끼. 말귀를 못 알아 쳐 듣는 구만.”
하고 욕을 하던 어르신은 쯧쯧 혀를 찼다.
“정말로 그렇다고 생각한다면 그 남자가 너를 모른다고 했을 때 어떻게 할 거지?”
나무라는 어르신의 말을 남자가 헛웃음 치며 저 멀리 운전하는 기사를 훑었다. 그러면서도 무의식적으로는 어딘가 이상하다 생각이 들었던 건 기분 탓이라고 판단하고 싶은 마음을 느꼈지만 무시하려고 눈살을 찌푸렸다.
“‘그 남자’가 아니라 ‘저 남자’……”
매끄러운 포장도로를 달리는 타이어는 부드럽게 무한으로 돌고 돌아서 터널을 빠져나가려 애를 썼다. 터널이었나?
남자는 저 멀리 운전기사의 뒤통수를 가만히 볼 수밖에 없었다. 여인은 불안한 시선으로 동공을 여기저기 굴리며 중얼거렸다.
“박효엽 아닌데…….”
터널로 들어섰다. 난색 불빛이 버스를 순식간에 집어삼켰다. 그러나 이름이 잘 기억나지 않았다.
“박효엽 아니고……”
분명 ‘이’씨였던가.
“이……”
남자가 돌아보고 어르신이 고개를 숙이면서 모자를 눌러썼다. 남자는 처연히 31번 좌석을 살폈다. 그때 여인은 차창 밖으로 지나가는 태권도 학원 차량을 보았다. 전혀 다른 길로 들어가 접점이 없을 태권도 학원 차량과 만난 교차점이 존재한다는 건 가만히 생각하지 않아도 이상했다. 개구멍을 황급히 탈출하는 마냥 터널로부터 빠져나왔다.

"이진……."
쓸쓸한 숨소리를 토해내는 여인이 팔을 감싼 양손을 풀고 털썩 무릎에 내버려뒀다. 그 순간 저 멀리서 검정 차량이 나타나 왼쪽 옆면에 이유 없이 돌진하고 마는 게 아니겠는가. 당연히 유리창은 산산조각 깨졌으며 거친 울음소리를 터뜨려 시끄럽고 혼란스러운 상황 속에서 버스 중심이 오른쪽으로 기울자 사람들이 아우성을 쳐댔다. 그러나 여인은 단 한 명의 목소리도 듣지 못했다. 그 한순간에 태권도 학원 차는 어디로 갔는지 모르겠을뿐더러 유리조각에 스친 살결이 아픔을 내지르지도 않고 피를 흘리지도 않아, 그제야 생각이 정리되려는 때마침 헤드라이트가 폭발하자 앞뒤 양옆으로 혼비백산이 되고 말았다.
'이진?'
남자의 귓가에 아른거리는 그 이름이 기억력을 아득하게 만들었다. 어디서 들어본 이름이었다. 아니, 들어보지 않았다. 들은 게 아니라 본 거다.
'다리 난간 밑에서.'
TV에서 안내방송이 다시금 되돌아왔다. 화면에서는 파란 원단이 하늘하늘하게 펄럭였다. 파란 원단은 곧 파란 원피스가 되어 앙상한 두 다리를 드러냈다.
「안…하세요…오늘…비…바다…펼쳐진……자랑……」
몸이 허공으로 붕 뜨는 게 그때와 똑같다. 정신을 차려 눈을 뜨니 새하얀 아지랑이가 눈앞의 커다란 어른을 가렸었다. 그 어른의 표정은 보이지 않았으나 온통 감정이 살짝 비켜간 빛줄기 틈으로부터 쏟아지자 오직 이것만 보아라, 하며 자수 놓인 이름을 뇌리에 강인하게 새겨 담았다.
"이진배."

***

남자의 한 마디를 끝으로 전 좌석에 사람들이 모두 사라졌는지 먼지 움직임 한 톨 소리조차 들리지 않았다. 강한 비바람이 깨진 유리창문을 통해 순환하는 버스 안에서 오로지 그녀 혼자만이 남겨지고 없었다. 조용한 창가, 혼자 움직이는 핸들, 속삭임 따위나 곤히 자는 숨소리조차 없는 좌석들, 옆자리의 피비린내. 모두 한순간이었다.
TV 속에서는 앙상한 다리 위로 부드럽고 차가운 파란색이 멈춰서있다. 그대로 움직이지 않는다. 가만히 아주 가만히 정면을 응시하고 있는 것처럼 말이다. 노이즈가 벌레처럼 파먹는 소리 밖에 들려오지 않았다. 여인은 빠져들 듯 바라보다가 문득 떠올렸다. 저건 아빠가 언젠가 선물해 준 원피스였다는 걸. 정말 아름다운 원피스였다. 파란 하늘처럼 서늘하고 깊은 물속에 아무도 살지 않는 거짓처럼 꾸며진 뿌연 심해처럼 질척하게 깔끔한 미디 원피스.
아무리 생각해도 어떻게 아빠를 만나고 아빠와 옷을 골라 원피스를 선물받았는지 하나도 기억이 나지 않았다. 아니, 처음부터 아빠는 누구였을까? 아빠의 이름은 뭐였지?
「잘 생각해 봐요.」
「뭐를요?」
「힌트 하나 줬다고 생각하세요.」
힌트 하나 줬다고 생각하세요.
녹이 슬고 이리저리 상처 입은 버스가 휘청휘청 달리고 있어서 바이킹을 타는 것처럼 제법 무서웠다. 자주색 커튼은 빛을 잃고 방황하다 몇 줄기는 끊어지고 바람과 함께 날아갔다.
「다시는 먹지 못하겠네요.」
「이따가 내리면 하나 사 먹으면 되잖아요.」
「그럴 수 있을까요?」
남자는 평생 초콜릿을 먹을 수 없다. 여인은 "이따가 내리면 하나

사 먹으면 되잖아요"라고 말하지 말 것을 그랬다고 생각하는 순간 머리를 한 대 얻어맞는 충격에 휩싸이고 말았다.

28. 좌측 열일곱 번째 칸 왼쪽 차창 자리.

'난 아직 멀미가 심한데.'

여인은 고속버스를 탈 때면 항상 4번 좌석이나 8번 좌석, 주로 최대한 앞에 있는 좌측 창가 자리를 예매했다. 가끔가다 어쩔 수 없이 우측 자리에 앉게 될 때면, 앉을 때마다 예전 일이 떠올라 구역감이 올라왔다. 그래서 항상 오른쪽 측 자리는 최대한 피하려고 했다. 그런 그녀가 좌측은 맞으나 7번째나 뒤에 있는 중간 칸에서, 몇 시간이고 앉아 있을 수 있었다는 점에서, 이때까지 단 한 번도 구역감이 밀려오지 않았다는 점에서, 구토감도 들지 않았다는 점에서, 멀미약 하나 먹은 기억 물론 없었다는 점에서, 여인은 온몸에 서리가 어둑어둑 얼 듯 돋아난 소름에 고속버스가 슬슬 완전한 종착지를 향해가고 있음을 망각했다. 내 아버지는 이진배. 그 남자는 구두쇠였습니다.

모든 게 꿈이었다. 파란 눈물이 다리를 적신다. 꼭 싸구려 페인트 같다.

앞좌석 그물망에 실린 주인 없는 폴더폰이 울렸다. 여인의 것이 아니었다. 아니었음에도 받아야 했다. 받지 말라고 후회할 거라고 목소리가 맴도는 듯하더라도 기어코 받아야 했다. 궁금해서가 아니라 반드시 받아야 할 것 같아서였다.

「여보, 김치 갈비찜 해놨어. 이따가 배고플 때 약한 불에 데워서 먹어. 잘 자.」

익숙한 사람의 목소리였다. 소란스러운 잡음이 얽혀들어와 더 이상 듣지 못하고 휴대폰 화면을 바라봤더니 비가 오기는 하더라도 이렇게 화창한 시간인데, 화면에는 "밤 11시 55분"이라 되어있었다. 시간이든 배경화면이든 뭐든 "11시 55분"이었다. 낮인지 밤인지는 알 수 없었다. 알 수 있는 점은 그저 "11시 55분"이라는 거였다.

그날도 11시 55분에 문자가 왔는데, 「역시 너까지 계곡에 가지 않는 게 맞았어. 내가 잠깐 졸다가 꿈을 꿨는데 인어가 왔어, 잘 모르겠지만 12시를 가리켰어, 물속에서 땅을 찾듯이 더 깊이 들어가지 말도록 하라 했어, 땅을 보기 전에 수면 위로 올라가라고 외쳤어, 그러지 않으면 인어가 되어서 몹시 고통을 받을 거라고, 죽지 않을 테야 생각하더라도 죽을 거고 죽을 거야 생각해도 죽지 않을 거라고 생각하겠지만 반드시」. 그다음 내용이 생각나지 않는지도 모르겠고 그가 말하다 말고 보낸 건지도 몰라도 그렇게 떠올렸다.
네 바퀴가 코너를 돌았을 때였다. 19번 좌석에 누군가 앉아있었다. 풍성한 면사포가 바람에 날리고 있었다. 희미하게 반짝거리는 면사포만 가만히 바라보던 찰나, 본능적으로 인어라는 사실을 알아차렸을 때서야 스파크가 튀어 꺼져버린 TV에서 기교 없이 정확한 발음을 구사하는 뉴스 앵커의 성실한 목소리가 흘러나왔다.
「오늘 낮 12시 1분, 접월시 서구 청설교에서 추락 사고가 발생했습니다.」
자리에서 벌떡 일어났다. 앞좌석 등받이를 짚고 중앙 바닥을 밟아 자리에서 빠져나오자 실오라기 같은 머리카락 한 점 한 점이 시야를 방해했다.
「접월시 서구 조록산 계곡으로 향하던 태권도 학원 차량이 옆 차선에서 주행 중이던 대형 화물차의 졸음운전으로 옆면에 부딪혀 난간을 박아 그대로 찌그러졌습니다. 아슬아슬하게 걸쳐 있던 난간 밖으로는 거대한 암벽과 깊은 바다가 있어 구출이 가능한 반대편 좌석 아이들을 먼저 구출해냈다고 전했습니다.」
시간을 다시 보니 "11:57"이었다. 2분이 지났다. 두리번거리더니 깨진 창밖으로 눈 하나만 빠져나올 수 있을 정도로 얼굴을 들이밀었다가 인어와 눈이 마주쳤다. 인어가 파란 눈물을 흘리면서 무어라 말했다.
「그때 나머지 아이들을 구출하기 위해 대기하던 중, 멀리서 커다란 관광 고속버스 한 대가 다가옵니다. 맹렬한 속도를 줄이지 않고 끔찍하게 달려와 한순간에 난간 밖으로 태권도 학원 차량을 밀어버린 관광 고속버스는 그대로 중심을 잃고 오른쪽으로 넘어져 찌그러지는 난간 아래로 운전기사로 추정되는 한 사람이 추락합니다.」
여인은 조용히 얼굴을 빼고 소극적인 걸음으로 비척비척 걸어나갔다. 인어는 처음부터 없었던 것인 양 기억에서 지워버리려 애썼다.
여인의 눈에 운전석이 들어왔다. 사이렌 소리가 가까워졌다.
"11:58"이 되었다.
「운전기사로 추정되는 사람 맞은편으로 태권도 학원 차량 안에 남아있던 아이들이 우수수 떨어져…우수수 떨어져, 그 순간 태권도 선생님들과 어른들의 고성과 절규가 처절하게 들려, 들려옵니다.」
뉴스 캐스터는 흐느낌을 주체하지 못하고 있었다. 고막 안을 사로잡는 불쌍한 처지에 어쩔 줄 모르는 성대 마음 깊숙이 이진배를 저주하고 있을지도 몰라, 그렇다면 나는 죄인일까, 저걸 때려 부수면 나는 악인일까, 선인일까, 둘 다 아닐까. 나는 왜 꿈에서마저 이런 생각에 괴로움 토해내야 하는 걸까 하며 이런저런 생각이 들지 않을 수 없었다.
「관광 고속버스를 운전하고 있었던…운전기사 이모 씨는, 당시 혈중 알코올 농도가 0.15%인 완전 만취 상태로 밝혀져, 버스에…잠시만요, 죄송합니다. 버스에…탑승해 있던, 승객들도 그 사실을 전혀…승객들은 그 사실을 전혀……」
"11:59"가 되었다. 온몸이 벌레를 입는 것 같았다. 하지만 이건 꿈이야. 그럼에도 벌레야. 나는 좀만도 못한 벌레에게 나는 벌레야 하고 소개할 수도 없을 정도야. 사이렌 소리에 정신을 잃을 것 같다. 노이즈 틈 사이로 작은 사각형이 주루룩 앉아서 얼굴을 비쳐보였다. 그 아래로는 "남시윤" "진서혁" 등등 아이들의 신상이 낱낱이 밝혀져 있었다.
어느 날 동생이 좋은 곳으로 여행을 떠났다고 들었다. "아버지의 존재감을 지울 수가 없어서."라는 한 마디를 꿈속에 몰래 남겨놓고 멀리 떠났다. 어릴 적 어린 여인은 언젠가 동생에게 이런 말을 남겼다.
「보윤아. 나 언제 한 번은 누구 죽일지도 몰라.」

***

"12:00"이 되자 사이렌이 숨었다. 여인은 자아에 황당함을 느꼈다. 13번 좌석에 앉아있는 스마트폰 충전기를 주워들고 운전석 뒤편 3번 좌석에 조용히 앉았다.
바닷바람이 시원하다. 눈앞에 뚫려있는 가림막 바로 앞으로 조금 전까지 없던 운전하는 이진배의 붉게 물든 두 귀가 보였다. 알코올 냄새가 진동해서 어릴 적에는 바다가 과학실험실처럼 알코올로 이루어진 줄 알았다. 하지만 아니었다는 걸 태권도 학원으로부터 알기까지 알 수 없었고, 그 사실을 알았을 때 가족에게 서러움을 느꼈다.
곧 바다가 가까워지자 둥둥 뜨인 하얀 부표 위로 수없이 쏟아지는 마트료시카처럼 큰 원 안으로부터 점점 작아지는 작은 원들 그 속에 결국 사라지고 마는 빗방울들을 잉태하는 허공 그 위 하늘 그 사이로 갈매기가 주행하는 회색 먹구름 하늘을 마주했다. 양손에 힘을 빼고 하얀 줄을 길게 교차해 잡았다. 세게 쥔 손금이 저렸다. 손가락 마디 마디로 찡하게 아려오는 긴장감이 토악질을 느끼게 하였다만 신경 쓸 겨를 따위 없었고 그냥 눈앞을 집중하기로 했다 싶었지만 복잡한 심정 하나 들지 않는 건 꿈이기에 그런 건지 참으로 신기했다.
허공에 가득 찬 두 눈에는 이미 조금밖에 남아있을까 말까 한 광명이 지나간 길과 같이 멀리 떠나버리고 없었다. 동공이 미세하게 흔들려 순수한 아기가 과도를 가지고 노는 마냥 살기도 잔인함도 그 어느 단 하나도 없고 말았다.

***

"12:02"가 되었다.
고속버스가 모래밭에 먼지를 날리며 거칠게 정차했다. 모래사장은 크게 먼지를 퍼뜨리지 않았다. 비가 점점 많이 오기 시작해서 모래가 다 젖었다. 파도는 더욱이 커다랗게 휘몰아쳤고 위험하리만큼 매서운 소리를 내질렀는데 그 자리에는 아무도 없어서 누군가 출입해 몰래 잠수해도 아무도 모를 만큼 고요했다.
문밖으로 TV가 떨어져 나자빠져서는 바스락 소리를 내면서 금이 갔다. 그 위로 거품 섞인 침이 달라붙은 발등이 기계 위를 가렸다. 헛구역질이 올라와 바람이 흐르는 쪽으로 침을 탁 뱉었다. 빗물과 섞여가 저 멀리로 흘러갔다.
머리는 피떡 져 산발이 되고 팔과 손등에는 할퀸 자국에 피가 잔뜩 고여 흐르고 있었다. 수돗가가 가장 먼저 눈에 보였다. 먼발치서 구경만 했다가 반대편을 돌아서 보았다. 짠물이 가득한 지평선이 더한 어둠을 끌어오고 그녀 뒤로 '쿵' 하는 소리와 함께 무언가 계단 밑으로 빠져나왔다. 부러 뒤돌아보지 않았다. 어차피 다 허상이기에 가짜다. 그게 참 씁쓸해서 죽겠다.
아주 먼 데로 걸어가는 미아처럼 모래알을 수없이 밟았다. 가끔가다 조개껍데기가 있을까 해서 긴장을 늦췄다. 그녀가 걸어가는 길은 수돗가가 아니라 짠물, 바다였다. 발을 담궈 휴식을 취하려고 가는 거였다면 좋았으련만 그런 일은 영원토록 오지 않을 거라고 아우성치는 갈매기들이 바위에게 속삭일까.
벌벌 떨리는 손을 바닷물에 담갔다. 쓰라림이 가득히 차올랐지만 손을 빼내지 않았은 건 결코 자존심 같은 자질구레한 것 때문이 아니었단 걸 누가 알아줄까 하겠다고 생각하는 여인이었다. 되려 힘을 꽉 주고 주먹을 쥐어서 초라함이 주는 명백한 휴식을 얻었다. 짠맛이 스멀거리며 흡수돼 더한 고통을 주는 바닷물은 어찌나 아름답고 반짝거리는지 몰랐다. 그 고통은 이루 말할 수 없었으며 그 어떠한 공포와 고통을 닮아 있었지만 여인은 알지 못했고, 알았더라도 모른 척했을 것이다.
언젠가부터 있었을 옆에서 창백한 손이 소금물에 담긴 주먹을 감쌌다. 약지에 낀 반지가 검지에 의해서 건드려졌다.
"아프겠다."
"시윤아."
"응."
어느 누구도 놀라거나 웃지 않았다. 여인이 저기 저 먼 지평선보다 더 앞 그 한가운데 부표와 부표로 이어져 끈끈하게 흐느적거리는 하얀 끈을 어느 것으로 착각하며 옛 생각이 나는지 어눌하도록 논리적이지 않은 심정을 이리 표현했다.
"내 선택이 정녕 맞을까? 그때도 난 안 간다고 했다가 죽도록 맞았잖아."
남자는 피에 절은 무릎을 짚고 자리에서 일어났다.
"어서 일어나. 서혁이한테 가야지."
서혁. 잊어버리고 있었다. 다 비 때문이라고 치부하고 있었던 탓에 가장 사랑하는 사람을 잊어버리고 있었다. 그래서 시윤을 이해할 수 없었다.
"왜 그렇게 슬프게 말을 해."
돌아오는 대답이 없었다. 남자는 하고 싶은 온갖 이야기가 있어도 다 하기도 전에 여인이 떠날 것을 알았다. 그럴 거면 차라리 마음대로 구는 게 나았지.
"시윤아. 힘들면 이제……"
"안 돼."
여인은 남자를 빤히 바라보았다. 남자의 얼굴 너머로 저 멀리 인어가 지나오는 자리에 물기를 남기며 걸어오고 있었다.
"어서 가. 곧 인어가 올 거야. 마주치고 싶지 않잖아."
남자는 절대 뒤를 돌아보려 하지 않았다. 그저 여인을 보내고 싶어서 안달인 것처럼 떠밀었다. 남자의 시야에 여인 뒤로 서혁의 발끝이 보였다. 여인이 붉은 눈가로 정말로 마지막인 것처럼 눈에 그를 담다가 하는 수 없다는 것처럼 뒤를 돌았다. 그가 또다시 붙잡았다. 시야가 흔들렸다. 장마의 초입에서 남자가 무언가 말하고 싶어 했다. 여인은 기다렸다. 마침내 넋을 놓아 천천히 낱말을 입에 발랐다.
"이…거는."
첫 마디에 떨리는 근육을 일부러 움직여 다르게 뱉어낸 순식간의 표정을 잊을 수가 없을 거다.
"나한텐 행복한 거야, 다 슬픈 거야. 그걸 다 감안해서라도 볼 거야."
깊은 충격이 심장을 집어삼켜 정신을 차려보니 눈부신 조명빛이 쏟아지는 아득한 천장 아래로 서혁이 이름을 외치고 있었다.

***

"진짜 안 가도 되겠어?"
태권도 사범님이 걱정스러운 눈길로 보배의 머리를 쓰다듬었다. 보배는 씩씩하게 "네. 괜찮아요." 하고 대답했다.
때마침 학원 차 안에 가방을 싣고 돌아온 시윤과 서혁이 다가왔다.
"야, 지금이라도 안 늦었어. 아저씨 아줌마가 괜히 또 성질 내면 너만 뒤진다. 그냥 좋은 말로 할 때 같이 가, 눈치 보지 말고."
"너 누나한테 반말 좀 진짜, 말버릇 진짜."

"아! 아! 아! 아 형은 반말하면서."
시윤이 잔소리를 하며 서혁을 아프지 않게 때리자 서혁이 과장하며 아픈 시늉을 냈다.
"아니야. 나 진짜 괜찮아. 사진 많이 찍어와. 알겠지?"
"당연하지. 진서혁, 난 얘랑 동갑이니까 당연한 거고, 넌 동생이니까 당연히 아닌 거고. 어? 네가 반말할 수 있는 애는 보윤이밖에 없어."
"에이 씨. 경찰 하고싶다는 놈이 동생 때리기나 하고."
저 멀리서 교범 님이 아이들을 불렀다. 얘들아, 빨리 와 단체 사진 찍어야지. 아이들이 저마다 뛰어갔다. 시윤이 보배를 이끌고 달려갔다. 동네의 작은 태권도 학원과 보육원 울타리 가운데에 다 함께 모여 삼각대 앞에 섰다.
보배가 가장 맨 뒤 세 번째 줄에 구석으로 서자 서혁이 구석 사이에서 튀어나와 "아 좀 비켜" 하며 보배를 옆으로 밀었다가 엄마에게 어리광 부리는 딸아이처럼 팔에 양손을 다 감고 장난스럽게 볼살을 기대는 시늉을 했다. 그녀 반대쪽에 선 시윤은 못마땅하게 여기며 보배와 어깨동무를 하면서는 서혁에게 징그럽다며 머리를 한 대 때리는 시늉을 했다.
"야, 초콜릿 초콜릿."
셋은 다급히 초콜릿을 꺼내 카메라 렌즈에 잘 보이도록 손을 움직였다.
"자 얘들아. 하나, 둘!"

***

보배는 구석 너머에서 카메라 렌즈 너머로 어딘가에 숨어있는 인어를 봤다. 인어가 나를 보고 웃었다. 새파랗게 웃었다. 아주 활짝 웃어서 슬픈 얼굴을 감추려고 했다. 지금 여기서 왜 우느냐고 한다면 내 초콜릿은 바로 빼앗겨 쓰레기통에 집어 처넣어질 테다. 그러니 모르는 척하자. 외면하고 외면하고 또 외면해서 착한 인격으로 성장하자. 인어를 향해 마주 보고 활짝 웃었다. 거울을 보는 것 같아 어지러움이 밀려왔다. 비쩍 마른 형태에 걸친 파란 원피스가 바람에 휘몰아치자 온몸이 굳었다. 차라리 비명 지를 것이 나았겠다고 생각할 만큼 환하게 웃었다.

화내지 말자. 뭐든 간에 피해 끼치지 말고 어디든 놀러 가지도 말고 집에 조용히 처박혀만 있자고. 그렇게만 생각하는 파란 원피스가 흐느꼈다. 환한 자연의 빛이 조용히 몰려들어와 아이들을 허기지게 감쌌다.

작가의 말_조유민

[책을 쓰게 된 계기]

어린 시절 저에게는 '이동 수단'이 커다란 난관으로 여겨져 왔습니다. 택시, 버스, 기차, 배, 고속버스…항상 예의주시하며 어딘가 멀리로 갈 때는 검은 봉투를 챙겼습니다. 특히 매년 방학마다 외할머니 댁에 갈 때에는 멀미약을 꼭 섭취했어요. 그럼에도 힘들었던 기억이 있었지마는 그것도 이제는 추억 이면서도 그때 당시를 생각하면 서글프고 가족과 친척들에게 죄책감이 들었습니다. 그 마음을 살짝 참고하여 "여인"이라는 인물을 만들어내었습니다.

[독자에게 바라는 감정과 메시지]

여인은 어째서 공허한가, 어째서 그렇게 행동하는가를 문장 한 겹 한 겹을 통해 천천히 읽어나가면서 추리해나가고 그 과정에서 자기 자신만이 찾아낸 감정을 온전히 본인의 몫으로 느껴보셨으면 좋겠습니다.
이 이야기는 어린아이들이 여행이라는 존재를 '어른'으로부터 제공받음으로써 겪는 불규칙한 슬픔에 대해 표현한 이야기입니다. '여인', '시윤', '서혁'은 각기 다른 의미로 여행에게서 감정을 느낍니다. 여러분도 이 세 사람의 마음을 천천히 생각해 보는 시간을 가져봄으로써 이들이 어른에게서 받은 여행을 어떤 식으로 받아들이고 성인이 되었을지, 깊은 생각의 나라에 빠져보심을 살포시 권해 드립니다.

[독자와 공감하고 싶은 경험과 감정]

어린 시절 어른이라는 존재에게서 여행이라는 선물 또는 기억을 받은 적이 있으시다면, 그 여행은 어떤 마음으로 보관되어 있을지 독자분과 함께 생각해나가 보고 싶습니다. 하지만 그 여행길에서 멀미라는 방해물이 불안감을 안겨다 주었던 기억이 항상 박혀있습니다만, 저는 항상 긴장감을 유지하며 가방에 검은색 비닐봉지를 하나씩 챙겼어요. 혹시나를 위해서, 하지만 초등학교에서 체험학습이나 수련회를 갈 때면 그러지 않아서 괜찮았지만 늘 무서워서 미리 선생님께 말씀하고 담임선생님과 함께 앞자리에 앉았습니다. 특히 6학년 때는 담임선생님이 정말 좋은 분이셔서 체험학습의 모든 순간 중에 버스를 타고 이동하는 순간이 가장 즐거웠다고 추억이 말해주고 있네요. 하지만 초등학생에서 벗어나니 모든 게 물거품이 되더군요.
여행은 행복하라고 존재하는 것일까요, 친구라는 존재와 함께해야만 100%로 완벽할 수 있다는 강박이 확실하게 박혀있는 문화 중 하나일 뿐일까요. 저는 아직도 모르겠습니다. 그 심정이 조금이나마 이야기 속에 담겨있는 것을 느껴주신다면 저는 더욱 바랄 게 없겠습니다.

[작가의 감정, 그리고 인사말]

저의 여행 기억 속에는 항상 멀미와 함께 해왔던 어린 시절과, 그러다 한 번은 그걸 못 이겨 중간에 포기하고 집으로 돌아왔던 패배감이 잔잔하게 담겨 있습니다. 그 마음이 책 속에 고스란히 느껴져 있다는 것을 여러분이 마음 깊이 느껴주실 수 있기를 바랍니다. 저의 부족함 많은 글을 읽어주셔서 진심으로 감사합니다. 또 다른 책으로 여러분과 다시 함께 만날 수 있기를 기원합니다.

함께한 여행의 기억

양희준

1

바닥이 흔들린다. 물결치는 수영장 위에 떠있는 느낌이 들었다. 바닥에 발을 딛지 않은 기분이다. 사람들의 비명이 들려온다. 고막을 가득 채워 건물이 무너지는 소리가 들리지 않을 정도로. 위에서는 돌가루들이 떨어진다. 당장이라도 천장이 무너질 것만 같다. 전등이 깜박거린다. 어두워 질 때마다 무서움이 더해져갔다. 주변에 있는 물건들이 하나 둘 넘어진다. 그 밑에 깔려 도와달라고 소리치는 사람도 보였다. 그렇게 되고 싶지 않다. 그런 마음으로 최대한 안전해 보이는 곳으로 뛰었다.

정신없이 뛰어가던 중 흔들림이 심해졌다. 부유감이 든다. 몸이 약간 떠오른 것이다. 찰나의 순간 떠오른 몸은 금방 떨어지고 말았다. 갑작스런 상황에 머리가 따라오지 못한다. 무거운 머리에 무게중심이 쏠리며 몸이 앞으로 기울어졌다. 머리가 부딪히며 이명이

들린다. 곧 바로 다른 곳에서 고통이 느껴진다. 코에서 무릎에서 팔에서. 하나만 부딪혀도 큰 자극이다. 심지어 한 번에 여러 곳이니.

울면서 부모님을 찾았다. 소란에 가려져 멀리 퍼지지도 않을 외침을 내뱉는다. 그렇게 외치던 중 바닥에 균열이 갔다. 눈물에 가려진 눈은 그걸 보지 못했다. 다시 일어나기 위해 바닥을 짚는다. 손바닥에 균열이 느껴졌다. 그걸 깨달았을 때는 이미 바닥은 무너지고 있었다.

급하게 몸을 일으켰다. 갑자기 시선이 확 내려간다. 심장이 떨어지는 느낌이 든다. 머리로 생각하는 것보다 몸이 먼저 움직였다. 손을 뻗어 앞에 있는 바닥이었던 것을 잡은 것이다. 부서진 시멘트가 손에 잡혔다. 최대한 힘을 줬다. 거친 표면 탓에 손이 아프다. 그리고 사라지지 않은 감각이 계속 느껴졌다. 잡은 것은 이미 무너진 바닥. 겨우 잡았지만 자신과 함께 떨어지고 있는 상태다. 허망한 눈이 위로 향했다. 그곳엔 그렇게 찾고 있던 부모님의 얼굴이 보였다.

2

튕기듯이 몸을 일으켰다. 다급하게 주변을 둘러봤다. 하나 같이 낮은 가구들이 눈에 들어온다. 내 허리 위로 올라오는 물건은 없다. 살짝 고개를 올리니 창문에서 빛이 새어 들어와 눈을 괴롭혔다. 눈을 찡그리며 고개를 내렸다. 바닥에 깔려있는 이불이 보였다. 늘 보던 익숙한 내 방이다. 그제야 정신이 들기 시작한다. 잠시 거칠어진 숨을 고르고 이불을 치웠다. 전신에서 찝찝함이 느껴졌다. 자면서 흘린 식은땀 때문인 것 같았다. 몸을 일으켜 정수기 앞으로 향했다. 물을 급하게 들이켰다.
"연우야?"
뒤에서 들린 목소리에 고개를 돌렸다. 바로 뒤에 엄마가 서 있었다. 꿈에서 보다 더 늙어 보이는 얼굴이 유독 신경 쓰인다. 그 날의 일 때문에 마음고생을 해서 주름이 심해진 탓이다.
"벌써 일어났어?"
"오늘은 일찍 일어나졌어."
"설마 또 악몽 꿨어?"
"오랜만에 꾼 거니까. 좀 더 있으면 아예 안 꾸겠지."
사실 언제 꿨는지는 모른다. 꿈은 금방 잊혀 지니까. 어제, 그저께 무슨 꿈을 꿨는지도 기억 못하는 나에게는 너무 힘든 일이다. 그렇기에 별일 아니라고 생각한다. 벌써 몇 살인데 애처럼 악몽 좀 꿨다고 엄마한테 안길 수는 없지 않은가.
엄마의 생각은 조금 다른 거 같았다. 걱정하는 표정으로 나에게 다가왔다. 식은 몸에 따뜻한 체온이 느껴진다. 나를 안아준 엄마는 머리를 쓰다듬었다.
"밥 줄까?"
이 화제에 대해 말하는 걸 꺼린다고 여기는 걸까. 잘 모르겠다.
늘 엄마는 나를 걱정한다. 일상적인 일이란 소리다. 악몽도 같은 거다. 그러니 신경 쓰이지 않는다. 최대한 신경 쓰지 않으려 하고 있기도 하고.
"아빠는?"
"아직 자고 있어. 아빠 일어나면 같이 먹을래?"
"아니, 지금 먹을게."
다시 방으로 들어가 봤자 어차피 잠도 못 잘 것 같다. 엄마가 밥을 준비하는 동안 다시 화장실로 들어갔다. 땀 때문에 찝찝해서 못 견디겠다. 샤워라도 해야지. 씻고 나오니 밥이 차려져 있었다. 상위에 오른 약간의 반찬들과 밥. 아침밥으로 먹기에는 충분했다. 엄마는 먼저 먹고 있었다. 반대편에 앉아 숟가락을 들어 밥부터 한 입 한다.
우리 가족은 옛날에 여행을 갔다가 사고를 당한 적이 있다. 뉴스에 나올 정도로 큰 사건이었다. 그날 이후로 시골로 이사를 와서 생활하고 있는 중이다. 나는 이 생활이 좋다. 딱히 놀 곳이 많은 것도 아니지만 뭐랄까 여기는 마음이 편안하다. 악몽도 자주 꾸는 게 아니니 그럭저럭 괜찮다. 평온한 일상이라 할 수 있다. 식사는 금방 끝났다. 대화를 안했기도 했고, 원래 아침에는 밥을 많이 먹지 않는 것도 이유다. 휴대폰을 꺼내 시간을 봤다. 걸어가면 등교해도 괜찮을 거 같은 시간이다.
"오늘은 걸어서 갈게."
"벌써 가려고?" "응."
방에 들어가 옷을 갈아입었다. 가방을 챙긴다. 방을 나오니 엄마는 이미 상을 다 치운 상태다. 정확히는 반찬은 남겨두고 밥그릇과 수저를 치웠다. 아빠도 먹어야 하니 뚜껑만 닫아 둔 거다.
"조심히 다녀와." "어~"
건성으로 대답하며 문을 열었다. 원래는 빨리 일어났어도 그냥 누워있었을 텐데. 오늘은 왠지 그냥 학교로 가고 싶은 기분이다. 시간도 많으니 느긋하게 걸음을 옮겼다.

3

아침 일찍부터 학교에 오니 교실에는 아무도 없었다. 오면서 본 교무실에는 선생님 몇 분이 계시긴 했지만. 책상에 가방을 걸고 자리에 앉는다. 사실 빨리 나와도 딱히 할 건 없다. 걸어왔다고는 해도 아직 이른 아침, 아침 조회까지도 한참 남았다. 왜 이렇게 빨리 나왔을까. 책상에 엎드렸다. 그냥 잠이나 더 잘까 했다. 시간도 꽤 지났고 이제 괜찮겠지.
그때 쾅 하고 뒷문이 열린다. 엎드린 채로 고개만 돌려 뒷문을 봤다. 이 반이 하나 씩 밖에 없는 학교에 다니면 졸업 때까지 계속 같은 얼굴들만 볼 수밖에 없다. 지금 들어온 친구도 마찬가지다. 다만 특히 더 익숙하다. 나름 가장 친한 친구인지라.
"오!" "원래 이렇게 빨리 와?"
평소에도 늘 교실에 먼저 와서 앉아있기에 빨리 오는 줄은 알았다. 설마 수업 시작 1시간도 더 전에 먼저 나오는 줄은 몰랐을 뿐이다.
"아니 오늘은 조금 빨리 왔는데, 네가 빨리 와서 그랬나봐."
"그렇다고 하자."
가까이 다가온 지우는 의자를 끌고 와 내 옆에 앉았다. 나는 몸을 일으켰다. 자는 건 관둬야 할 것 같다.
"그러는 넌 왜 벌써 왔어?"
"일찍 일어나서."
"용케도 빨리 일어났네. 너 원래 늦게 일어나잖아."
"늦게 오는 거야."
아침부터 기운이 넘친다. 보는 사람에게도 활력을 불어넣는 좋은 모습이다. 내가 혼자 받아내기엔 조금 버거울 정도다.
"곧 있으면 방학이네." "응."
"혹시 방학 시작하고 뭔가 일정 있어?"
"집에서 놀 예정이야."
"방학에 할 거 없으면 같이 여행가자!" "싫어."

4

제안을 거절한 이후 지우에게 하루 종일 시달렸다. 이유를 물어봐서 그냥 싫다고 했지만. 그게 문제였는지 그럼 가자고 밀어붙이는 것부터 시작해서, 수업시간에는 공책을 뜯어 쪽지를 주고 쉬는 간에는 갖가지 조건을 제시했다. 여행 중 드는 돈은 전부 부담하겠다던가. 여행지는 내가 원하는 곳으로 하자던가. 어디로 여행 갈 지도 안 정하고 말한 거냐고. 그렇게 학교가 끝날 때까지 여행 가자는 소리를 들으니 지친다.
그래서 집에 오자마자 드러누웠다. 진이 다 빠져 뭐 할 생각도 없이 그냥 누워있을 생각이었다. 눕자마자 지우한테 전화가 오지 않았다면 그랬을 것이다. 뭔 말을 할지 알고 있어서 마음 같아서는 받고 싶지 않다. 하지만 오늘 지우가 보여줬던 모습이 있어 안 받았을 때 어떻게 될지 알고 있다는 사실이 내가 전화를 받게 만든다.
"여보세요?" "여행가자!"
"싫어." "으음……."
전화 너머로 침음소리가 들린다. 아무래도 아이디어가 떨어졌나 보다. 어차피 뭐라고 해도 거절할 거지만.
"끊을게." "아니 잠깐만 기다려봐!"
"왜?" "부탁하나만 들어주라."
"말해봐." "스피커로 바꿔봐."
그냥 끊을까 생각도 했지만 일단 지우가 시키는 대로 했다.
"다음."
"집에 아주머니 계시지?" "어."
"아주머니께 가 봐."
몸을 일으켜 방을 나갔다. 나처럼 방에서 누워있을 엄마에게 향한다. 지우가 무슨 생각을 하는지 모르겠지만 일단 들어줬다. 들어줬으니 그만하라고 할 수 있을 테니까. 엄마는 방에 있는 침대 위에 누워있었다. 내가 들어오자 엄마는 몸을 일으킨다.
"엄마." "왜 그래, 배고파?"

"아니 그런 건 아니고. 지우가 할 말이 있는 거 같아서. 말해."
"아주머니 앞이야?" "그래."
뭐를 하려고 엄마한테 가라고 하는지 들어나 보자. 이상한 거면 그냥 끊으면 되니까.
"지우하고 전화하고 있니?"
"아주머니, 연우 데리고 둘이서 여행 좀 갔다 와도-!"
지우의 말이 다 끝나기도 전에 전화를 끊었다. 뭐 대단한 걸 할거라고 기대한 건 아니다. 이제 지우가 그냥 여행가자고 하는 거 말고는 남은 게 없다는 걸 알았다. 또 전화하면 귀찮으니까 전원을 꺼버렸다.
"둘이서 여행 가려고?"
조심스러운 말투다. 신경이 곤두선 사람에게 말을 거는 것처럼 느껴진다. 냅다 들어온 건 나인데 엄마가 저렇게 대하니 불편하다.
"지우가 가자고 하는 것뿐이야. 신경 쓰지 마."
"그렇구나. 근데 연우야." "응?"
"친구끼리 여행을 가보는 것도 좋은 것 같아. 물론 네가 싫다면 어쩔 수 없지만."
"알았어. 생각해 볼게."
문 닫는 소리를 뒤로 하고 내 방으로 향했다. 휴대폰 전원을 꺼서 할 것도 없는지라 잠이나 자기 위해 누웠다. 눈을 감으니 온갖 생각들로 머리가 가득 찬다. 가장 먼저 지우가 떠오른다. 오늘 내내 붙어있어서 그런 듯하다. 평소에는 적당히 말하면 알아들으면서 오늘은 왜 그러는지. 다음으로 엄마의 모습이 떠오른다. 아직도 잊히지 않은 꿈의 모습과 지금의 모습. 그리고 나를 보던 눈. 사고 직후 나를 안아주던 엄마가 떠오르고, 이어서 꿈속의 기억으로 넘어간다.
애써 머리에서 치워보려고 하지만 그럴수록 더욱 선명해지고 만다. 몸이 떨린다. 이불 속으로 파고들어 머리까지 덮었다. 어차피 지난 일이다. 이제 와서는 잘 기억나지도 않는 일 수준. 그러니까 문제는 없다.
생각을 돌려 다시 지우의 제안으로 향한다. 오늘 하루는 유독 이미지가 강해 간단히 넘어가졌다. 어째서 그렇게 끈질기게 구는 걸까. 여행을 간다고 해도 생각해 둔 것도 없으면서. 지우의 생각을 모르겠다. 그래서 여행에 대해 생각해 본다. 그렇게 집착할 정도로 뭐가 있을 리가 없는데. 고작 해봐야 같이 놀러가서 여기저기 돌아다니는 게 다 아닌가. 고작 그 정도다. 그러면 내가 거절할 이유가 있나? 귀찮다는 이유가 다라면 친구의 부탁 정도는 들어줄 수 있는 거 아닐까. 그래, 딱히 꺼리거나 피하는 것도 아니니. 가보는 것도 괜찮을지도.

5

학교에 도착하자마자 책상 위로 엎어졌다. 곧 있으면 선생님이 오실 시간이지만 신경 쓰지 않는다. 어제 낮잠을 오래 자서 너무 늦게 잔 탓에 피곤하다. 그러거나 말거나 나에게 다가오는 사람이 있었다.
"휴대폰은 왜 꺼놓은 거야."
누구냐고 할 것도 없이 지우다. 나타나자마자 냅다 본론부터 꺼내는 것이 오늘도 계속 할 생각인 것 같았다. 막 도착했을 때는 없더니 화장실이라도 갔었나 보다. 말이 더 이어지기 전에 내가 먼저 말을 꺼냈다.
"어제 했던 얘기 말이야."
"생각해 봤어?"
"그래, 여행 가보자."
내가 이렇게 쉽게 긍정할 거라고는 생각도 못했던 거 같다. 그게 아니고서야 지우가 저렇게 얼어있을 이유가 없다. 얼빠진 표정을 하곤 입에서 '어어' 거리는 모습이다. 정신 차리라고 어깨를 톡톡 쳐줬다.
"야." "......진짜로?" "진짜로."
"그럼 내가 밤 새워서 너를 꼬드기기 위해 생각해 뒀던 것들은?"
"안 들을 거야."
여전히 정신줄을 놓고 있는 지우를 놔두고 다시 엎드렸다. 다시 잘 생각이다. 아까 선생님이 반에 아이들이 있는 걸 확인하고는 지나갔다. 수업이 시작하기 전까지는 자도 괜찮다. 눈을 감고 몸을 뒤척이며 편한 자세를 찾는다. 그러던 중 정신을 차린 지우가 내 몸을 흔든다. 몸을 일으키는 대신 입만 움직였다.
"말해." "정말로 같이 갈 거야?" "그래."
귀찮음이 묻어나오는 말투가 나왔다. 다시 말하고 싶지 않았다. 더 말을 하면 괜히 마음이 바뀔 거 같기 때문이다.
"그럼 방학 시작하고 일주일은 비워둬!"
"무슨 여행을 일주일이나 가."
"아무튼, 알겠지?" "알았어."
눈을 살짝 뜨고 고개를 돌렸다. 자리로 돌아가는 지우의 뒷모습이 보인다. 나중에 해도 될 말이긴 하지만 생각난 김에 미리 말하는 게 좋겠지.
"지우야." "응?"
"여행지는 고층건물이 없는 곳으로 해줘."
"알았어!"

6

죽는 줄 알았다. 이게 뭔 소린가 하면, 버스를 타고 얼마 안돼서 일어난 일이다. 속이 매스껍고 머리가 어지러웠다. 옆에서 지우가 떠드는 소리도 귀에 안 들어왔다. 집에 돌아가고 싶은 충동이 마구

든다. 다행이도 눈을 감고 있으니 기절해서 목적지까지 무사히 도착하는 게 가능했다. 사실 잠 든 거긴 하지만. 개운하지가 않아 기절한 거로 쳤다. 도착한 뒤에야 지우가 깨워서 일어날 수 있었다.
도착한 숙소에서 짐을 푼다. 나야 간단한 옷가지와 새면도구, 약간의 식품 정도만 들었지만. 지우의 짐에서는 온갖 것들이 튀어나왔다. 내 짐을 푸는 것보다 지우의 짐을 정리하는 걸 도와주는 게 더 오래 걸렸다. 욱여넣어 놔서 바닥에 흩뿌려진 걸 정리하느라 힘들었다.
"몸은 좀 괜찮아?" "그래."
"조금 더 쉬다가 나와도 되는데."
"괜찮다니까."
일정이 도착하자마자 있었기에 바로 나왔다. 참고로 나는 여행 루트가 어떻게 되는지 모른다. 전부 지우에게 맡겼기 때문이다. 그렇기에 뒤만 쫄래쫄래 따라가고 있다. 주변을 둘러봤다. 큰 건물은 보이지 않는다. 건물들을 살짝 치우고 보면 흙과 풀들이 가득했다. 내가 했던 요청을 신경 쓴 게 한 눈에 보였다. 숙소도 호텔 같은 게 아니라 민박이기도 하고. 사실 퍽 익숙한 광경이다. 애초에 시골에 사는 이상 집 나와서 주변을 둘러보면 보이는 것들이니까. 이럴 거면 여행을 올 이유가 있나 싶을 정도다.
하품이 나왔다. 오면서 잤어도 피로가 풀리지 않기도 했고, 계속 걸어가기만 하다 보니 지루해진 것도 있다. 앞서 가는 지우를 봤다. 휴대폰을 보느라 앞을 잘 보고 있지 않았다. 지도를 보면서 가고 있는 거 같은데, 한 번씩 주변도 좀 둘러보지. 지우를 대신 해서 주변에 위험한 게 없는지 지켜봤다. 라고는 해도 별로 조심할 것도 없다. 차도 별로 안보이고. 발을 헛디뎌 도랑에 빠지지만 않는다면야 문제는 없어 보였다.
계속 걷다보니 슬슬 다리가 아프기 시작했다. 더워서 땀도 난다. 그럼에도 아직 목적지라 할 만한 곳은 보이지 않는다. 폰을 꺼내 시간을 봤다. 출발한 지 1시간 정도가 지났다. 전적으로 계획을 맡기기도 했고, 지우를 믿기에 지금까지 아무 말 없이 걸었다. 하지만 언제까지 그냥 걷기만 할 수는 없다는 생각이 든다. 일단 멈추기 위해 앞서 걸어가는 지우의 어깨를 잡았다. 그러자 화들짝 놀란 지우가 뒤로 휘청거렸다. 넘어질 뻔한 몸을 잡아 세워주니 내 쪽으로 돌아본다.
"괜찮아?" "어? 어어, 갑자기 왜?"
"얼마나 남았는지 물어보려고."
"앞으로 한 시간만 더 가면 돼."
별로 안 남았다는 것처럼 말한다. 아무렇지 않게 말하지만 왕복으로 하면 오가는 시간만 4시간이란 소리다. 남은 시간 전부를 이동에만 쓸 것도 아니고 뭐지?
"택시라도 불러야 하는 거 아니야?"
"택시는 없고, 대신 버스 정류장은 조금만 가면 있긴 한데, 괜찮겠어?"
"뭐가?" "멀미." "문제없어."
1시간 정도 걸어서 다리는 아프지만, 반대로 속은 안정된 느낌이다. 한 번 쯤은 더 타도 괜찮을 거 갔다. 설마 올 때처럼 심하게 멀미를 하겠어. 장거리였으니 더 심했던 것도 있을 것이다.
"그럼 저 앞에 정류장 있으니까 거기서 기다리자."
"알았어."
지우의 말대로 얼마 안가 버스정류장에 도착했다. 금방 온 버스에 타고 떠올렸다. 멀미한 건 버스가 출발하고 얼마 안돼서의 일이었다는 사실을.

7

다행히도 버스는 금방 목적지에 도착했다. 이번에는 기절하지 않을 수 있었다. 버스에서 내려 정류장에 있는 의자에 기대고 주저앉았다. 토는 나오지 않았지만 속이 울렁거린다. 이정도로 약할 줄은 몰랐다. 버스를 타봤어야 알지. 잠시 그렇게 있다가 몸을 일으켰다. 주변을 둘러보니 사람들이 이쪽을 흘깃 보고는 각자의 길로 갔다. 옆에는 지우가 걱정하고 있다. 숨을 들이마셨다가 내쉰다. 간단한 행동이지만 그것만으로도 약간이나마 괜찮아진 기분이 든다.

"돌아갈 때는 걸어서 가자."

"그러면 가는 길에 멀미약이라도 사는 건 어때?"

"파는 곳이 있어? 오면서 본 건 없는데."

"이쪽 부근에 있어. 버스 타고 오면 서......는 보지 못했겠네."

"알았어. 그럼 돌아가는 길에 들리자."

"이렇게나 멀미가 심할 줄은 몰랐네."

"나도 몰랐어."

"뭔가 이유가 있지 않을까? 흔들리는 거에 약하다던가."

흔들리는 거라. 슬슬 속이 가라앉은 게 느껴졌다. 이제 움직여도 괜찮을 거 같았다.

"이제 가자." "알았어. 근데 여긴 어디야?"

천천히 걸어가며 질문했다. 일단 보이는 거로는 산이다. 멀리 높은 언덕이 보인다. 주위에는 나무가 열을 맞춰 늘어서 있다. 입구 근처에 있는 올라가기 전 들릴 화장실, 작은 안내소와 지금 위치를 알려줄 큼지막한 지도까지. 딱히 특별해 보이는 건 없다. 질문을 들은 지우가 잠시 멈췄다.

"산이야. 일단 첫 번째로 임팩트 있는 걸로 골라봤어."

"임팩트?"

다시 고개를 돌려 지도를 봤다. 산길과 각 구간의 이름이 써져있다. 다만 한 가지 눈에 띄는 게 있었다. 초록색과 갈색으로 가득한 지도에서, 하늘을 표현한 걸 제외하면 유일한 파란색의 그림이 보인다.

"폭포?"
지우가 말하는 임팩트 있는 것이 뭔지 한 눈에 알아차렸다. 커다랗게 그려져 있는 폭포그림. 지도에서 가장 크게 그려져 있는 것이, 아까 흘긋 볼 때는 왜 못 봤나 싶을 정도다.
"맞아, 크고 아름다운 폭포! 국내 최대 수준은 아니지만 충분히 큰 거로 골랐어."
폭포의 크기를 표현하기 위해서 팔을 쭉 폈다. 주변에 있던 사람들은 부딪히지 않게 비켜갔다. 내 시선이 옆으로 향한 걸 본 지우는 그쪽을 보곤 바로 내렸다. 뭐라 한 사람이 없긴 했지만, 민폐인 걸 알기에 내게 다가와서 설명을 이어갔다.
"여기 말고도 많이 준비해 뒀어. 다도 체험이라던가, 목장이라던가."
"열심히 찾아봤네."
우리는 다시 발을 움직였다. 대화는 가면서 해도 됐고, 등산은 꽤 시간이 걸리기 때문이다. 거기에 돌아갈 시간까지 생각하면 가만히 있을 순 없다. 지우는 올라가면서도 수다를 떨었다.
"산을 오르는 건 오랜만이네."
나는 밖에 잘 나가지 조차 않는다. 당연히 등산을 하는 건 처음이다. 하지만 나쁘지 않다. 정렬해 있는 나무들이 가는 길에 그늘을 만들어 준다. 그 사이로 부는 바람이 시원하다. 버스 타기 전 걸어왔을 때와 비교하게 된다. 돌아가는 길에도 이러면 좋을 텐데.
지우의 입에서는 다양한 말들이 나왔다. 이번 여행 동안 가기로 계획한 곳들, 오기 전에 챙긴 물건들, 얼마나 고심 끝에 정했는지 등. 쉴 틈 없이 말했다. 나는 약간에 추임새나 반응만을 해줬다. 그것만으로도 지우는 신나서 떠들었다.
혼자 걸어갈 때는 보통 소리를 채우기 위해 노래를 듣는다. 지금은 지우의 말이 노래를 대신하고 있다. 썩 나쁜 기분은 아니다. 지우의 말과 함께 들려오는 다른 소리들에 집중해 봤다. 새가 지저귀는 소리가 가장 먼저 튀어 들어온다. 다음으로 바람소리와 졸졸 흐르는 물소리가 시원하게 들려왔다. 마지막으로 이제는 반응이 없어도 말하는 라디오가 된 지우의 말소리에 다시 집중했다. 마음이 진정된다.
다시 한두 마디씩 반응을 해주며 걸어갔다. 근처에 배치된 지도를 보면 금방 폭포에 도착할 것 같았다. 지우는 뭐가 그리도 할 말이 많은지 아직도 말이 멈출 기미가 보이지 않는다. 말 재주도 없고 길게 하지 않는 나는 엄두도 못 낼 일이다. 출발 전에 봤던 영상에 대해 말할 무렵이었다. 먼저 큰 물소리가 들렸다. 오면서 들은 물이 약하게 흐르는 소리라면 지금 들리는 소리는 강하게 내리치는 소리다. 계속해서 나아간다. 주변을 가득 채운 나무들이 이어진 길 끝에 비어 있는 부분이 보인다. 그 너머로 차가운 바람이 불어온다. 올라오면서 흘린 땀과 만나 몸을 식혀줬다. 지우도 하던 말을 멈추고 앞을 바라봤다. 시간을 보면 드디어 라고 할 수도, 또 체감상으로는 벌써 라고 할 수 있다. 어찌됐건 이제 여기까지 온 이유를 볼 차례다.

8

높게 솟아 있는 절벽. 벽의 색을 하얗게 물들이고 있는 물줄기. 주변으로 튀는 물방울들과 그로 인해 생기는 무지개까지. 그 모든 게 컸다. 세로로는 시야에 다 담기지 않고, 가로로는 시야의 절반을 채울 정도로. 지우가 말한 임팩트가 확실하게 느껴진다. 고개를 돌려 옆을 봤다. 지우는 멍하니 입을 벌리고 폭포를 바라본다. 이곳을 찾아본 장본인임에도 눈을 떼지 못하고 있었다.
“우와.” “입에 벌레 들어간다.”

지우는 황급히 입을 닫고 나를 봤다. 내 지적에도 딱히 부끄러워하지는 않았다. 그것보다는 뭔가 칭찬을 바라는 것 같은 그런 표정이다.
“어때, 기가 막히는 곳으로 골랐지?” “그러네.”
커다란 폭포는 여름의 열기를 이겨내서 주변을 시원하게 만들고 있다. 마치 이 주변만 계절이 다른 것처럼 느껴진다. 폭포 주변에는 여러 상인들이 장사를 하고 있는 게 보인다. 이곳까지 올라오느라 목마를 사람들을 위한 차가운 음료들은 물론, 아이스크림을 들고 있는 사람들도 있었고, 따뜻한 소시지와 핫도그를 파는 곳도 있을 정도다. 우리처럼 관광 온 사람들도 많다. 가족끼리 왔는지 부모와 손을 잡고 있는 아이도 있었다.
“연우야?”
“어.”
지우가 내 눈 앞에 손을 흔든다. 너무 멍하니 보고 있었던 거 같다. 정신을 차리고 다시 폭포를 봤다. 하지만 그게 아니라는 듯 다시 한 번 격하게 흔들고 있는 손이 시야에 들어왔다. 고개를 돌리니 지우가 내 쪽을 보며 웃고 있다. 장난으로 해서 웃고 있는 건지 내가 돌아봐서 웃고 있는 건진 잘 모르겠다.
“왜 그래?” “아니, 딱히.”
“뭔가 바라는 게 있는 거 아니야?”
“바라는 거야 많지. 칭찬도 더 원하고, 나한테 더 신경 써 줬으면 좋겠고.”
“간단히 말하자면 관심이 고프다?”
“그렇게 요약할 수도 있겠네.”
“알았어. 뭐가 하고 싶은데?”
“일단 따라와 봐!”
지우는 앞장서서 폭포 가까이로 걸어갔다. 나도 뒤를 따랐다. 사람들의 사이를 지나가는 길에 상인들이 팔고 있는 물건을 어필했다.

너무 비싸지 않은 아이스크림을 두 개 샀다. 하나는 내가 먹고 하나는 지우에게 건네줬다. 아이스크림을 핥으면서 지우가 말을 하길 기다렸다.
서로의 아이스크림이 모두 녹아 목 너머로 사라질 때까지 우리는 아무 말 없이 폭포를 바라봤다. 지우는 손수건을 꺼내 입 주위에 묻은 아이스크림을 닦았다. 반면 나는 깔끔하게 먹었기에 입 근처는 깨끗하다. 다만 녹아서 손에 묻는 것까지는 어떻게 할 수 없었다. 작은 가방에서 물티슈를 꺼내 손을 닦고, 아이스크림을 먹고 나온 쓰레기를 감싸 주머니에 넣는다. 일련의 과정을 지켜보고 있던 지우가 웃는다.
“같이 오길 잘했지?”
“물어보기에는 너무 이르지 않나 싶은데.”
“그런가?” “이제 첫 번째야.”
“표정이 좋아보여서 그랬어.”
손을 올려 입가를 만졌다. 물론 그런다고 해서 지금이 어떤 표정인지 알 수는 없다. 하지만 행동 자체가 긍정에 의미로 받아들여진 걸까. 지우는 웃는 얼굴 그대로 지긋이 나를 바라봤다. 부담스러울 정도다. 그렇기에 한 마디 내뱉었다.
“집에 있는 것 보다야, 괜찮을지도 모르겠네.”
너무 작위적인 느낌이었나. 이 말을 들은 지우는 폭소하다가 넘어질 뻔 했다.

9

그 후로 5일 동안 다양한 곳을 돌아다녔다. 농장에서 키우는 동물들을 봤다. 더럽긴 했지만 부드러운 양의 털은 기분이 좋았다. 나오면서 화장실에 들러 손을 제대로 씻어줬다. 녹차 밭에선 사진을 찍는 거 말고는 크게 할 건 없었지만, 다음으로 간 다도 체험은 생각보다 재밌었다. 그때 받은 찻잎은 캐리어에 고이 모셔뒀다. 도자기 체험도 했다. 손에 느껴지는 감촉이 꽤나 좋았지만. 남은 일정과 돌아갈 때 갈 길을 생각해 만든 도자기는 가져오지 못해서 아쉽다.
오늘 아침 지우가 짐을 챙기자는 소리를 꺼냈다. 이제야 5일이 지났고, 내가 알기로 지우는 일주일 쯤 되는 계획을 세웠다. 내가 여행을 가자고 했을 때 말한 거라, 계획을 세우면서 바꿨을 수도 있지만. 일정을 늘리는 거라면 모를까 줄일 것 같진 않다. 아무래도 지우다 보니.
"짐 다 쌌어?"
"어."
기념품을 그렇게 많이 산 것도 아니고, 들고 온 짐들 중에서 음식물들은 전부 먹었기 때문에, 처음 출발할 때와 크게 차이가 나진 않았다. 오히려 약간은 줄어든 것 같을 정도다. 정확히는 모르겠지만. 마찬가지로 짐을 전부 싼 지우도 눈에 띄게 늘어난 짐은 없다. 나보다 많이 사서 걱정했는데 문제는 없어 보인다. 원래도 많아서 그런가.
신발을 신고 짐을 챙겨 숙소를 나섰다. 주인아저씨의 배웅을 받으며 나와 터미널로 향했다. 원래라면 가는 길에 지우의 수다나 들었겠지만 이번에는 조금 달랐다. 휴대폰을 켜 갤러리로 들어갔다. 앨범에 가득 찬 사진들이 주르륵 이어진다. 한참을 내려가 가장 처음에 찍은 사진을 봤다. 출발하기 직전 지우가 첫 여행 기념이랍시고 터미널에서 찍은 사진이다. 멋대로 내 폰을 가져가서 찍었었다. 옆으로 넘기니 폭포에서 찍은 사진이 나왔다. 지나가던 관광객을 잡고 부탁해서 찍은 사진이다. 당시를 떠올리고 있자니 앞서가던 지우가 옆에 붙었다.

"연우 표정 진짜 별로다."
지우가 폭소한 직후의 사진이라 그렇다. 표정이 좋지 못한 건 인정한다. 그래도 진짜 별로라고 할 정돈 아닌데. 그렇다고 굳이 입으로 내뱉지는 않았다. 계속해서 옆으로 넘어가는 사진들. 어떤 사진들은 구도만 약간 다르고 같은 것이 찍혀 있다. 나와 지우가 따로 찍고 사진을 공유해서 있는 사진들이다. 어느 쪽도 잘 찍은 건 아니지만 완전히 같은 사진이 아니기에 저장해 뒀다. 사진을 넘길 때마다 옆에서 한 마디씩 날아온다. 농장에 갔을 때의 감상, 다도체험 했을 때의 감상, 도자기체험 했을 때의 감상, 어떤 사진을 보곤 내가 찍은 게 더 잘 찍혔다 같은 말도 했다. 참고로 지우가 말한 건 내가 찍은 사진이었다. 사진들을 보며 가다보니 어느 샌가 터미널에 도착했다. 마침 타야할 버스가 딱 와있었기 때문에 바로 탔다.
"버스가 딱 와있다니 운이 좋네."
"못 탈 수도 있었던 건 아니고?"
"출발시간 까지는 아직 남았어."
"그렇다면 다행이고"
사진 보느라 멀미약 먹는 걸 깜박했네. 의자를 살짝 뒤로 젖혔다. 뒤에 있는 사람에게 피해를 주지 않을 정도로. 그러나 편하게 기댈 수는 있을 만큼. 등받이에 몸을 기대고 눈을 감았다. 버스가 출발하면 지옥을 볼지도 모른다. 그런 체험은 최소한으로만 하고 싶다. 출발하기 전에 잠을 자야지. 그걸 지우도 아는지 옆에서 작은 소리의 자장가가 들려왔다. 의외로 효과는 있었다. 덕분에 출발하기 직전 무사히 잠에 드는 게 가능했다.

10

여기가 어디쯤일까. 잠에서 깨고 가장 먼저 든 생각이다. 지우가 깨워서 일어난 게 아니라서, 아직 도착하지 않았다는 것만 알 수 있었다. 눈을 떠 옆으로 고개를 돌렸다. 지우는 창문 너머의 밖을 바라보느라, 내가 일어난 지도 모르고 있다. 뭐기에 저렇게 집중해서 보는지. 고개를 살짝 기울여서 밖을 봤다. 창 너머로 펼쳐진 광경에 눈을 크게 떴다. 햇빛을 가리는 높다란 건물들과, 도로를 가득 채우고 있는 가지각색의 자동차들. 급격하게 속이 안 좋아진다. 머리가 어지럽다. 그제야 지우가 눈치 챈 듯 내 쪽으로 시선을 향한다.
"연우야?" "우욱."
"괜찮아?! 곧 도착하니까 조금만 참아봐."
내 상태를 보고는 화들짝 놀랐다. 버스 안이라 목소리를 낮춰서. 지우의 말대로 얼마 지나지 않아 터미널에 도착했다. 버스에서 내리자마자 엎드려서 구역질을 해댄다. 토는 나오지 않았지만 상태가 호전되지도 않는다. 지나다니는 사람들에게 민폐일까. 하지만 그런 걸 신경 쓸 여유도 없다. 지금 당장 내가 힘드니.
누군가가 어깨를 두드렸다. 뭐라고 하는 것 같았지만 귀에 들어오지 않았다. 어느 순간 소리가 멈췄다. 어떤 손이 몸을 잡고 조심스럽게 끌어올렸다. 고개를 든다. 올라간 시선 끝에는 지우의 얼굴이 있다. 옆에는 캐리어들이 있는 게 보인다. 내가 골골대고 있는 동안 혼자서 내린 듯하다.
"여기 어디야?"
힘겹게 내뱉은 한 마디. 지우의 얼굴을 노려봤다. 지우는 땀을 삐질삐질 흘린다. 지금 내가 어떤 기분인지, 본인이 무슨 짓을 했는지 충분히 알고 있는 거 같다. 입을 열지 못하고 시선을 피한다. 눈살이 찌푸렸다. 이 대치는 몸 상태가 괜찮아질 때까지 계속됐다. 몸을 일으킨다. 지우는 여전히 입을 열지 않는다. 말할 생각이 없어 보이기에 지나쳐서 걸어간다.
“잠깐만! 연우야, 다 설명할게.”
“이제서야?”
지우가 내 팔을 붙잡았다. 어째서 바로 말을 하지 않았을까. 내가 말도 듣지 않고 화낼 거라고 생각한 건가. 팔을 뿌리쳤다.
“아까 바로 말했으면 됐잖아.”
“아까는......” “아까는 뭐.”
“미안, 뭐라고 말해야 할지 생각하느라 그랬어. 그렇게까지 싫어할 줄은 몰라서 당황했어.”
거짓말은 아닌 거 같았다. 정확히는 그러길 바랐다. 변명처럼은 들리지만 말이다. 잠깐 진정하고 생각해 봤다. 지금 내가 하고 있는 건 과민반응으로 밖에 안 된다. 이렇게까지 화낼 일이 아니다. 좋지 못한 몸 상태가 안 좋은 생각만 하게 하는 거다. 최대한 생각을 바꿔보려 시도했다. 그러나 생각하면 할수록 짜증이 난다. 굳이 생각하는 대신 지우에게 물어봤다.
“말해봐.” “미안해.” “사과 말고.”
지우는 입을 우물거렸다. 뭘 말하려는 걸까.
“지난 5일간 즐거워했잖아?” “그랬지.”
“괜찮을 거 같았어. 가기 싫다고 했어도 막상 오니 즐겨서, 그래서 이번에도 재밌어 할 수 있을 것 같아서. 함께 다양한 것들을 체험해 보고 싶어서 그랬어. 미안해.”
숙여진 고개, 흐려지는 말. 그 무엇도 당당하지 못하다. 내가 화낼 걸 알고도, 뻔뻔할 수도 없으면서. 왜 이런 짓을 한 걸까. 그만큼 오고 싶었나? 하지만 여태 그런 기미는 보이지 않았다. 내가 처음 학교를 다닐 때부터 친구였기 때문에 잘 알고 있다. 가끔씩 도시에 가보고 싶다고 하긴 해도, 가기 싫어하는 사람을 억지로 끌고 올 정도로 동경하진 않았다. 애초에 다른 사람이 싫다고 하는 일은 되도록 안 한다. 근데 어째서 이번에는.

아니 깊이 생각할 필요도 없는 얘기다. 물어보면 되니. 그러나 지금 물어볼 생각은 없다. 지금 입을 열어봤자 공격적인 말밖에 안 나온다. 다시 뒤로 돌아 걸어간다. 지우가 다시 한 번 나를 붙잡는다. 이번에는 팔 대신 옷깃을 잡았다. 조심스러워지긴 했지만 여전히 행동은 그대로다. 이런 반응에도 여행을 계속하고 싶은 걸까.
"돌아가자." "미안해."
"지금은 돌아가고, 나중에 화해하자." "미안해."
"사과하라는 소리가 아니야!" "미안해."
결국 목소리가 높아졌다. 몇 번 씩이나 사과만 하는 모습에 열이 오른다.
"도대체 왜 그러는 건데! 5일 동안 돌아다닌 거면 충분한 거 아니야?"
"너도 이유가 있을 거 아니야." "뭐?"
"여행을 가기 싫었던 이유, 그럼에도 여행을 오기로 결심했던 이유. 없어?"
"이유라니."
먼저 과거에 일이 떠오른다. 다른 건 전부 잊어버릴 정도로 옛날에 있었던 일이. 그럼에도 꿈에 나와 나를 괴롭히던 과거가. 다음으로는 엄마의 얼굴이 떠올랐다. 내가 지우와 여행을 간다고 한 날 웃으시던 모습. 그 이후 조금씩 먹는 양도 늘고, 상태가 괜찮아진 모습. 그리고 그 전에 힘들어 하던 모습들이. 발이 멈췄다. 말문이 턱하고 막힌다. 이런저런 생각이 나도 말이 되지 못하고 입 안을 맴돈다. 그걸 본 지우는 시선을 똑바로 향했다.
"나도 이유가 있어서 그래. 이번 한 번만 내 부탁 들어줘. 다시는 이런 무리한 부탁 안할게."
"......이번만이야." "고마워."
지우가 살며시 웃었다. 평소에 짓는 해맑은 웃음이 아닌. 살짝만 입꼬리를 올린 옅은 웃음이다.

11

결국 남은 이틀 동안 이곳에서 지내기로 했다. 숙소는 역시나라고 할까 고층호텔이었다. 그걸 보곤 다시 한 번 눈살을 찌푸렸다. 그렇다고 해서 돌아가진 않는다. 내가 하겠다고 했기 때문이다. 진행을 첫 날과 다르지 않다. 숙소에 짐 나두고 나온다. 목적지로 향한다. 다만 가는 길에 보이는 게 많고, 내 표정이 별로라는 사소한 차이점이 있을 뿐이다. 물론 표정을 숨기려고 노력하진 않았다. 옆에 있는 지우도 신경 안 썼다. 힐금힐금 보기는 하지만. 설령 신경써서 불편해진다 해도, 결국 돌아가자 할 뿐일 테니 결국 나쁠 것도 없고.
주변을 둘러봤다. 다양한 건물들이 보인다. 풀과 흙이 많이 보이던 집 근처와 저번 여행지는 와는 다르다. 인위적인 화려한 색들이 눈을 사로잡는다. 각자의 이미지 컬러로 도색 된 체인점의 간판들이 눈에 띈다. 위로 뻗어 올라가는 건물들을 봤다. 한참을 올려봐야 하는 큰 건물들이 주변에 가득하다.
그걸 보니 무심코 섬뜩한 생각이 든다. 멀쩡한 땅에서 흔들림이 느껴지는 것 같다. 재빨리 시선을 내렸다. 심호흡을 했다. 최대한 생각을 돌리기 위해 휴대폰을 꺼냈다. 인터넷에 들어가 웃긴 영상을 검색한다. 가장 위에 뜬 영상을 눌렀다. 그때 지우가 내 쪽을 돌아봤다.
“저기 한 번 들려볼래?”
지우가 가리킨 곳에는 본다. 그곳엔 다양한 물건들을 모아놓고 파는 가게가 보였다. 없는 게 없다며, 유튜브 영상에서 꿀템을 소개한다는 영상이 많이 올라오는 곳이다. 5층이나 되는 건물을 전부 물건들로 채워 넣었다고 하니 그게 어느 정도일지. 아무튼 엄청날 거다. 처음 가보는 곳이니 그것들을 보다보면 시간 꽤 걸리겠다. 그렇다면 원래 가려고 했던 곳을 괜찮나.
"바로 안 가도 괜찮아?"
어디로 향하는지는 모른다. 그저 어딘가 목적지가 있겠지 라고 생각할 뿐이다.
"어디를?" "어디냐니, 원래 가려고 했던 곳이 있을 거 아니야."
"딱히 없는데. 그냥 발이 닿는 데로 가고 있을 뿐이야."
차이점이 하나 더 늘어났다. 설마 그냥 걷고 있었을 줄은 몰랐다. 나는 당연히 계획이 있을 거라 생각했는데. 그냥 내가 계획을 세운 게 아니라, 크게 관심 없어서 그랬던 걸지도.
"그럼 들어가자."
솟아오른 건물을 보고 있자니, 돌아가고 싶은 마음도 든다. 하지만 심호흡을 하고 안으로 들어갔다.

12

지우와 함께 돌아다닌 도시는 나쁘지 않았다. 건물을 들어갈 때 마다 멈칫하는 등의 일이 있긴 했지만. 이런 사소한 문제를 제외하면 꽤 괜찮다. 우선 시골과는 차원이 다를 정도로 할 게 많다. 굳이 일정을 짜지 않은 것도 이해가 간다. 주변을 둘러보면 할 것들이 가득해서 갈 곳을 정해놓을 이유가 없다. 분명 어렸을 때는 도시에서 살았던 거 같은데. 낯설었다. 거리에 잔뜩 있는 음식점들도. 다양한 걸 파는 체인점들도. 너무 새로운 것 들 뿐이다. 예전에는 없던 것들일까. 아니면 그냥 내가 기억하지 못하는 걸까. 애초에 내가 살던 곳이 어딘지도 모르겠는데, 이런 걸 생각해 봤자 의미는 없다. 계속 이어지던 생각을 끊는다.
누워있던 몸을 일으켰다. 저녁이 되어 숙소로 돌아왔다. 근처에는 돌아다니며 산 물건들이 모여 있다. 대부분 지우가 산 물건들이다. 새삼스러운 생각이지만, 저 정도로 사도 괜찮나? 이번 여행에서 이동이나 체험 등 예약해서 하는 것들은 전부 지우가 부담했다. 그걸로 모자라 돌아다니며 먹은 간식거리들도 샀다. 밥도 사려는 걸 어떻게든 더치페이로 타협하기도 할 정도. 평소에 돈 쓸 곳이 없어도 그렇지, 돈을 너무 낭비하는 거 아닐까 하는 생각이 든다. 이미 여행 막바지기에, 말 그대로 이제 와서 라고 할 만한 생각이지만. 한 번 물어볼까. 때마침 지우가 욕실 문을 열고 나온다. 잠옷을 입고 나와 머리를 수건으로 닦고 있다.
"이제 들어가도 돼."
"알았어."
씻고 나서 물어봐도 되겠지. 침대에서 일어나 짐을 뒤졌다. 옷가지를 꺼내 챙긴다. 수건은 욕실에 있으니 챙길 필요 없어서 편하다. 준비를 끝내 욕실에 들어가기 전이었다. 별 생각 없이 움직이던 발밑이 흔들린다. 익숙한, 그러나 떠올리기 싫은 감각에 몸이 떨렸다. 곧 이어 중심을 잃고 넘어진다. 새하얗게 물든 머리론 아무것도 생각할 수 없었다. 먹먹해진 귀로 어떤 소리가 들리는 것 같다. 당연하게도 무슨 소린지 알 수 없다. 몇 번이고 꿈속에서 느꼈던 감각은 나를 과거로 대려다 놨다. 벌벌 떨고만 있는 어린 아이였던 시절로.
아직 초등학교에 조차 들어가지 않았을 시절에. 부모님과 함께 여행을 간 적이 있다. 별 거 없는 가족여행이었다. 그곳에서 어느 백화점에 갔다. 불행하게도 백화점은 부실공사로 지어졌다. 또한 그 외에도 여러 문제들이 있었다고 한다. 그 결과가 백화점의 붕괴였다. 수많은 사상자들이 생겼다. 하필 우리 가족이 여행을 갔던 날에 일어난 일이다. 불행 중 다행이라 할까. 우리 가족은 모두 생환했다. 다만 그 일로 나는 트라우마가 생겼다. 고층 건물에 들어가지 못하게 됐다. 그 때문에 아파트에 살던 우리가족은 아예 시골로 이사를 왔다. 그 후로 나는 멀리 가는 것조차 꺼리게 됐지만. 조금씩 안정되어 갔다.

13

시간이 지나고 조금씩 멍했던 정신이 돌아온다. 시아가 어둡다. 무언가가 빛을 가리고 있다. 고개를 든다. 어둡기는 했지만 조금의 빛도 없는 건 아니다. 약간의 빛으로 위에 있는 무언가를 볼 수 있었다. 지우였다. 자신의 몸을 사용해서 나를 보호하듯 감싸고 있다. 멍한 얼굴로 지우를 바라봤다. 눈을 꾹 감고 있는 모습. 이미 흔들림은 멈췄지만 알아채지 못한 것처럼 보인다. 팔을 올려 몸을 톡톡 쳤다. 그제야 흔들림이 멈춘 걸 깨달았는지, 감고 있던 눈을 떴다. 주변을 둘러보지도 않고 나부터 확인했다. 내가 이상 없다는 걸 확인한 지우는 그제야 주변을 돌아본다. 나 역시 따라서 고개를 돌렸다.

세워뒀던 짐들이 넘어졌다. 안에 있는 내용물들이 나와서 여기저기 퍼져 있었다. 지우가 먼저 몸을 일으켰다. 나도 따라 일어섰다. 그때 서랍 위에 있는 전화기가 울린다. 휴대폰이 아닌 호텔의 인터폰이다. 지우가 가서 전화를 받는다. 통화를 하는 동안 나는 짐들을 확인했다. 다행히도 부서진 물건은 없어 보인다. 나와 있는 물건들을 모아 다시 넣는다. 그러던 중 지우가 어느 샌가 옆으로 와 도와주고 있었다. 정리가 끝나고 우리는 그대로 바닥에 주저앉는다.

"괜찮아?"
지우가 먼저 입을 연다. 뭐라 대답할지 속으로 생각한다. 지우를 보고 난 이후로 몸이 떨리는 게 멈췄다. 어째서일까. 잘 모르겠다. 그저 마음이 차분해진 느낌이다.
"잘 모르겠어."
그래서 느낀 그대로 대답했다. 그렇게 말했어도 지우는 더 물어보지 않았다. 대신 다른 이야기를 꺼냈다.
"근처 지역에 지진이 일어난 여파로 흔들린 거고, 여진까지 지나갔으니까 이제 괜찮을 거래."
"알겠어."
대화가 끊겼다. 뭔가 어색한 기류가 흐른다. 뭐라도 말해야 할까. 이야기 주제를 생각해 보니 하나 떠오르는 게 있다. 아까 생각했던 여행자금에 관한 것. 원래는 씻고 나서 물어보려 했지만 그냥 지금 물어보자.
"있잖아." "왜?"
"이번 여행에서 돈을 많이 썼는데, 그래도 괜찮아?"
"아...... 그거 말이지. 딱히 상관없어."
"그래도 너무 많이 사용한 거 같아서."
피하는 느낌이다. 하지만 절대로 물어보면 안 된다는 느낌이 아니기에. 다시 한 번 물어봤다. 지우는 조금 주저하는 것 같더니 결국 말을 꺼냈다.
"나, 병에 걸렸데. 자세한 건 모르지만 그냥 놔두면 확실하게 죽고, 수술을 해도 살 확률은 절반 정도라고 들었어."
"언제부터?"
"안지는 얼마 안됐어. 방학 좀 전에. 그러니까 너한테 여행가자고 하기 전 날에 알았어. 너한테 여행가자고 한 것도 그거 때문이야."
"어째서 말 안 했어?"
그런 이유 때문이라면 말했으면 됐을 텐데. 그럼 안 온다고 하지도 않았을 거고, 괜한 성질도 안 냈을 건데. 어째서 말하지 않았을까.
"내가 마지막이 될지도 모르니까, 같이 여행가자고 해도 별로 즐길 것 같지 않았어. 돈도 부모님이 걱정하지 말고 쓰고 싶은 데로 써도 된다고 했어. 그러니까 너무 신경 쓰지 마."
그랬을 거다. 만약 내가 알고 있었다면 따라다녔겠지만, 순수하게 즐기지는 않았겠지. 내가 싫다고 해도 도시에 오는 걸 강행한 것도 이것 때문일 거다. 마지막이 될지도 모르니까 최대한 많은 걸 하고 싶어서. 화를 낸 걸 후회하게 된다. 하지만 그걸 지우가 원할 리가 없다. 그랬으면 그냥 도시에 오기 전이나, 내가 성질을 부릴 때 말했을 테니.
"그러니까 너무 신경 쓰지 마. 그냥 내 고집 때문이니까."
지우가 몸을 일으켰다. 그걸 따라 일어선다. 고개를 드니 벽에 걸려있는 시계가 보인다. 이미 밤이 깊어 잘 시간이 됐다. 지우도 그걸 아는지 침대로 걸어갔다.
"나는 먼저 잘게."
"아니, 나도 지금 잘래."
나도 침대에 누워 이불을 덮었다. 옷도 갈아입지 않았지만 상관없다. 어차피 갈아입을 옷도 편한 외출복일 뿐이니까.
"연우야."
"왜?"
"미안해."
"그럴 필요 없어."
뭐를 말하는 지는 물어보지 않는다. 뭐가 됐든 사과할 필요 없는 거일 거다. 그러니 내가 할 말을 정해져 있다.
"나도 미안해."
"그럴 필요 없는데."
"내가 이미 말했잖아."
지우가 소리 내서 웃었다. 내 입꼬리도 슬며시 올라간다. 더 말하거나 하진 않았다. 우리에겐 아직 내일도 있으니.

14

짐을 싸서 숙소를 나선다. 얼굴을 드러낸 지 얼마 안 된 해가 우리를 비춘다. 아직 버스를 타기에는 이른 시간이다. 나는 지우를 깨워 짐을 챙기게 했다. 그런 나의 모습에 지우가 시무룩해졌다. 물론 군말 없이 따라온다. 터미널에 도착한 우리는 안으로 들어갔다. 바로 발권기로 향한다. 지우가 카드를 꺼낸다. 그 사이에 내가 내릴 터미널을 정하니, 출발시간들이 나온다. 쭉 내려서 저녁시간대의 버스를 고른다. 지우가 의아한 눈빛으로 나를 봤다.
"지금 가는 거 아니야?"
"조금 더 놀다가 가자."
순식간에 밝아지는 얼굴. 환하게 웃는다. 저렇게도 기쁠까. 확실히 즐겁기는 했지만, 과하다는 느낌을 지울 수는 없다. 하지만 나쁘다는 느낌은 들지 않는다. 처음 웃으며 여행가자고 했을 때는 좋은 느낌이 들지 않았는데. 어째서인지는 모르겠다. 그래도 좋게 생각하기로 했다. 친구의 웃음을 좋게 느끼는 게 나쁘게 느끼는 것보다 나을 테니.
"어디부터 갈까? 오면서 괜찮아 보이는 곳들이 많이 보였어."
"일단 짐부터 어디에 두자." "그래!"
먼저 뛰어가는 지우. 어디가 짐을 두는 곳인지는 아려나. 느긋하게 지우의 뒤를 따라갔다. 아직 버스시간까지는 꽤 남았으니, 너무 급하게 다닐 필요는 없다.
"빨리 와!"

"소리치지 마. 다들 돌아보잖아."
함께 해가 질 때까지 놀다가 터미널로 돌아왔을 무렵엔, 보관하고 간 짐 못지않은 수준의 새로운 짐이 우리들의 양손 가득히 있었다.

15

창밖으로 거리가 보인다. 어두워져서 각자 빛나고 있는 건물들. 하나 같이 낯이 익다. 우리가 돌아다녔던 거리다. 이번에는 제대로 타기 전에 멀미약을 먹었다. 덕분에 출발한지 꽤 시간이 지났음에도 속이 편안하다. 지금 창가에 앉아 있는 것도 그래서다. 버스를 탈 때마다 지우가 창가에 앉기도 했고, 가면서 밖을 한 번 봐보고 싶었다. 그렇게 특별한 건 아니지만 꽤 괜찮았다.
아직 도심을 벗어나지도 않았음에도 그렇다. 이미 한 번 본 광경들이 지나간 다음에 볼 처음 볼 광경들이 기대됐다. 밖을 보고 있자니 지금까지의 한 주가 스쳐지나간다. 처음 올 때는 예상도 못했던 일이다. 늘 피해왔던 것들이 이렇게나 재밌었을 줄. 괜히 피했나 싶기도 하다. 그렇게 상념에 빠져있던 중. 버스를 타고 나서도 한동안 조용히 있던 지우가 입을 열었다.
"연우야."
"응?"
"이번 여행 어땠어?"
그걸 꼭 말해야 하는 건가. 여태 보여준 모습이면 충분할 텐데. 지우를 가만히 바라본다. 그런다고 생각을 알 수 있는 건 아니지만. 사실 어렴풋이 알 수 있을 것 같기도 하다. 확인하고 싶은 거다. 자신에게 추억이 된 일주일이 나에게도 좋았기를 바라는 마음. 아마도 그런 거겠지. 그렇다면 내가 해줄 말은 정해져 있다.

"즐거웠어."
딱 한마디. 말 주변이 없는 내가 해줄 수 있는, 딱 그 정도의 말. 그런 거로 충분할까. 하는 고민은 의미가 없다. 지우의 표정이 모든 걸 말해주고 있으니.
"그럼 다음에도 내가 여행가자 하면?"
"그땐 거절하지 않을게."
지우가 웃는다. 늘 그렇듯이. 하지만 조금은 특별하게. 나도 거기에 답한다. 입꼬리를 살짝 끌어올린다. 의식하면서 표정을 지으면 부자연스럽다고, 어디선가 본 것도 같다. 거울이 없어 어떨지는 모르겠다. 유리창을 봐도 되겠지만. 얼굴을 보는 사람의 반응으로 거울을 대신했다. 그리 나쁜 반응은 아니니까 괜찮은 거겠지.
"약속한 거야?"
"약속할게."

16

방학이 끝나가고, 내일이면 다시 학교에 간다. 지우는 여행에서 돌아온 직후 바로 병원으로 갔다. 그 이후로 들은 소식은 없다. 괜찮다면 어련히 전화할 거라 생각하고 있다. 다른 이야기를 하자면 여행을 다녀온 후에 몇 가지 변화가 있었다. 주변을 둘러보면 보이는 가구들. 서있어도 고개를 숙일 필요가 없다. 전체적으로 방에 있는 물건들이 높아졌다. 예시로 원래 바닥에 깔려있던 이불 대신 침대가 들어섰다. 여행을 갔다 온 후 부모님께 말해서 방에 있는 가구들을 바꿨다. 이 침대는 가장 먼저 바꾼 물건이다. 원래는 바닥에서 잤던지라, 가끔씩 일어날 때 몸이 아플 때가 있어서다. 호텔에서 잤을 때 편했던 기억 때문이기도 하다.

몸을 이리저리 움직여 푼 뒤 문을 연다. 방 밖으로 나오면 늘 보던 거실이 보인다. 그리고 식탁 앞에 앉아 계시는 부모님이 시야에 들어온다. 또 다른 변화는 엄마에게 있다. 방학 전에 본 모습과는 비교할 수 없을 정도로 건강해 보이는 모습. 운동도 시작했다고 들었다. 아빠는 뭐, 늘 똑같지만 표정이 좋아진 것 같기도 하고.
"오늘은 빨리 일어났네."
"어제 빨리 잤으니까."
"우리는 방금 막 밥 먹었는데. 연우도 지금 먹을래?"
"아니 조금 이따가."
그 외에는 악몽을 안 꾸게 된 거라던가. 완전히 괜찮은지는 모르겠지만. 일단 잠을 자는데 문제가 없으니까. 좋은 거겠지 하고 생각중이다. 정수기 앞으로 가 물을 받는다. 점점 차오르는 물. 컵 안에 가득 찬 물을 천천히 마신다. 절반 쯤 남았을 때 벨이 울린다. 부모님이 문 쪽을 쳐다봤다. 나는 아직 물이 남아있는 컵을 놔뒀다.
"내가 나가볼게."
아침부터 누구인지. 신발을 밟고 현관에 선다. 잠금장치에 버튼을 누르고 문고리를 돌렸다. 문이 열리고 보인 모습에 멈칫한다.
"오랜만이야."
문 앞에는 지우가 서있었다.
"연락도 없이 무슨 일이야."
"서프라이즈라고 할 수 있지!"
"일단 들어와."
"아니 그것보단 네가 나와. 같이 걷자."
"알았어."
고개를 빼서 부모님한테 나간다 말하고, 밟고 있던 신발을 대충 신었다. 문을 닫고 지우와 함께 나섰다. 집에서 나서서 얼마나 걸었을까. 지우가 먼저 입을 연다.
"수술은 문제없이 끝났어."

“그러니까 여기 있는 거겠지.”
“그렇게 말하면 할 말이 없는데.”
“몸은 좀 어때?”
“아픈 곳은 없어. 그럼 문제없는 거 아닐까.”
“그럼 다행이고.”
“약속은 기억하고 있지?”
“내일이면 개학인거 알고 하는 소리야?”
“진짜? 모르고 있었는데!”
“그래 그러니까 다음에.”
“약속한 거다?”
“이미 약속했던 거지.”

작가의 말_양희준

01.책을 쓰게 된 계기

제 학창 시절에 두 친구가 함께 여행을 갔던 적이 있습니다. 이 이야기는 그걸 생각하며 썼습니다. 친구끼리 여행가는 이야기로 가볍게 써보고 싶었습니다.

02.독자에게 바라는 감정/메시지

저는 그때 같이 가지 않았었죠. 체험학습을 썼으면 같이 갈 수 있었겠지만 귀찮아서 그러지 않았습니다. 이미 졸업한 지금은 경험할 수 없는 소중한 추억이 되었을 수도 있습니다. 후회하거나 하는 건 아니지만 이런 기회가 있다면 한 번 가보는 것도 좋지 않을까 생각이 듭니다.

03독자와 공감할 수 있는 경험/감정

모두에게 각자의 추억이 있을 겁니다. 이 이야기를 읽고 과거에 친구와 함께 놀던 추억을 되새기는 것도 괜찮지 않을까 합니다.

04.작가의 감정/인사말

이 이야기는 가볍게 쓰는 걸 목표로 했습니다. 잘 되었을지는 모르겠습니다. 그래도 괜히 읽었다 싶은 작품은 아니었으면 좋겠네요. 읽어주셔서 감사합니다.